No canto dos ladinos

Quito Ribeiro

No canto dos ladinos

todavia

*Para meu pai e minha mãe, que me
conduziram a caminhos abertos*

Para Antônio

Augusta

Ela tinha acordado cedo, antes da hora. Depois de uma viagem longa, a cama de hotel muito mole deixa seu corpo num estado de alerta letárgico que mistura cansaço, preguiça e jet lag. No primeiro voo do dia anterior, ficou sentada ao lado de um casal que estava indo de férias a Paris junto com uma criança. Gente ridícula, não conseguia disfarçar a antipatia. "Como podiam viver numa bolha azul-bebê com um país intenso e enorme à sua volta? Que tipo de anestesia seria essa?" Nem mesmo se considerasse aquilo uma espécie de doença mental, conseguiria ser condescendente com esse modo de vida. Em Paris, espera pelo voo regional que em uma hora e meia a deixaria em Lyon. Cristiane se tornara um ser humano em trânsito. Ela observa o vai e vem: o clima internacional já tomava conta de tudo e a atmosfera de novidade fica mais palpável. Chegou ao hotel usando um desses aplicativos multinacionais de transporte que são como as redes de fast food de antigamente. Âncoras que alentam quando se está ainda sem saber pisar direito em solo desconhecido. Táxi do tipo antigo em aeroporto lhe parece sempre o primeiro contato com a bandidagem local, e ela nunca gostou muito de passar por otária. Um resto de claridade ainda insiste no céu, mesmo já passando das dez da noite, e uma caminhada à beira do rio Ródano parece o melhor a se fazer. Mas ela está cansada e tudo o que consegue é se preparar para dormir.

Logo que a janela do quarto fica azulada com a chegada da madrugada, os olhos abrem. Um pensamento mais insistente traz as responsabilidades do dia que nasce e o sono vai embora. Já conhecia o dispositivo e sabia que a luta estava perdida. O dia era importante e melhor seria dormir mais, mas sabia que isso não ia acontecer. Só voltaria a ter sono lá pelas oito da manhã e a agenda não permitiria tornar a dormir para acordar às onze horas, como ela sabe que precisa e merece. Restava executar o plano B para dias com insônia e agenda cheia: arranjar uma cadeira para dormir por pelo menos quinze minutos depois do almoço. Para já, tinha que levantar, dar uma última olhada nos e-mails e uma ajustada nos papéis preparados para a mesa na faculdade.

Está acostumada às viagens desde o lançamento de *Fossa* e já tem bagagem e uma rotina para a ocasião. Viagens atiçam a imaginação e ela aproveita para escrever textos futuros. Além do mais, segue com um dos seus maiores prazeres, que é o mesmo de sempre, só que agora com mais milhagem: descobrir como se comporta a diáspora negra em cada lugar que visita. São pessoas com as quais se sente de imediato compartilhando partituras gestuais que remetem a experiências anteriores, onde vê afinidades com traços de personalidade seus dos quais nem tinha se dado conta, e isso acaba ampliando a própria noção que tem de si mesma. Assim, redefine sua família a cada passeio pelo mundo. Em lugares como Lyon, com uma presença razoável de negros, esse comportamento dos exilados salta aos seus olhos de especialista — e, o principal, de aficionada. Estava especialmente animada para a semana na França. Por isso, se apressa de manhã para fazer o desjejum num café próximo ao hotel.

Por conta do livro, Cristiane vem sendo convidada com frequência a falar sobre a chegada de centenas de milhares de negros às universidades do Brasil e seu impacto nas discussões sobre raça no país. Sua fala não costuma ser desprovida de polêmica, e muitas vezes o debate fica acalorado. Um ativista americano chegou a dizer, certa vez, que por ser da classe média ela não tinha autoridade para falar pelos negros pobres. Não faltaram exemplos em seu próprio país para fazê-lo entender que estava fazendo papel de colonizador vestido em pele de cordeiro. A fogueira de vaidades da academia e seus subambientes não era nada para quem passara a juventude pulando fogueira de São João na Bahia. Esse discurso da brancura em pretos — que, no Brasil, ela e todos costumam apelidar de pretos de alma branca — não se aplica a ela. E mesmo se fosse o caso, os pretos que cruzam a linha do mundo branco estão longe de ser minoria e têm muito serviço a prestar à sua luta.

O hotel escolhido pela organização fica num bairro turístico bem próximo da universidade onde acontece o evento. Ela anda pela cidade de dia pela primeira vez, mas Lyon já lhe é um tanto familiar por causa das pesquisas que fez na internet para escrever sobre Ivan e Lucia. Isso gera nela uma excitação a mais. É um amor que se concretiza. Procura um lugar onde consiga estar um pouco mais próxima do cotidiano da cidade. A uma distância de duas estações de metrô do hotel, acaba chegando a uma praça onde havia três dos seus cafés favoritos. Escolhe, já com os olhos cheios de lágrimas, o que tinha uma varanda com vista para o grande largo para o qual tudo ao redor confluía. Dali fica observando as primeiras movimentações do dia. Cristiane adora lugares onde as pessoas têm o hábito de andar na rua, mas uma mulher sentada sozinha atrai olhares vigilantes, sobretudo se ela não é do tipo que traz turista à vista escrito na testa. Os óculos escuros escondem qualquer intimidação por esses olhares intrometidos. Uma senhora entra no café acompanhada de uma criança com idade para ser sua neta e segue em direção aos fundos, onde fica o final do balcão e o caixa. De onde está, não consegue ouvir a conversa. A senhora demonstra intimidade com a vendedora, porém nota-se entre elas uma coreografia diferente da formalidade demonstrada com o casal que entrara logo antes. O que salta aos olhos não é hostilidade, e sim diferença. A elegância sóbria da cliente lhe traz à mente Augusta, que parece estar sempre ao seu lado. A senhora aguardava o atendimento, e a impressão que a situação causou foi de que a outra, atrás do caixa, não entendia muito bem o francês da primeira, porque elas passaram a gesticular de maneira mais pausada e recorriam à criança, que funcionava como uma intérprete da situação. Isso não parecia inibir a cliente — que tinha um tipo mais identificado com a África do Norte, bastante comum por toda parte em Lyon e diferente de Augusta, que era mais negona petróleo mesmo. Tanto Augusta quanto a cliente berbere tinham um ar que inspirava uma autoridade natural em qualquer um, o que talvez tenha afetado a funcionária do café, senhora que estava mais ou menos na mesma faixa etária.

Ainda ali lhe doía a culpa por seu próprio preconceito quando chegara desavisada ao consultório de Augusta. Não passara pela sua cabeça que pudesse tratar de questões subjetivas fora de casa ou da sua roça com outra pessoa negra. Até por isso, foi maravilhoso não ter sido forçada a maneira como aconteceu — muito embora o amigo que fizera a indicação provavelmente tivesse isso em mente e apenas tenha lhe preparado a surpresa. Nunca pensara em falar sobre questões raciais na terapia. Poder falar com alguém que tem uma sensibilidade sobre aquilo foi muito estranho. A princípio pareceu familiar demais. "No divã, precisamos justamente desabafar sobre questões íntimas e não desejamos alguém que tenha intimidade prévia conosco." E a cumplicidade automática com Augusta, pelo fato de ser negra, em algum lugar criava um bloqueio. Só que nas sessões as duas dobraram o cabo da Boa Esperança e um oceano se abriu. A própria Augusta lhe falou da semelhança do seu sentimento com o de alguém que, sendo nativo do francês, prefere fazer terapia com um analista que fale a sua língua mãe — mesmo depois de morar muitos anos em algum lugar do Brasil e tendo se tornado fluente em português. Porque há interjeições, gestos que se misturam com palavras, sentimentos que vêm junto com o que se diz, coisas que só se consegue alcançar sendo muito íntimo da língua. Cristiane sente que as questões de identidade passam por aí e sua terapia foi outra pelo fato de Augusta ser negra.

Cristiane

Fico feliz de poder falar sobre *Fossa das Marianas* aqui. Falar de Elisa. Apresentar meu livro num dos portos da negritude e do pan-africanismo. Na minha cidade, esses dois conceitos foram revolucionários. Ambientei o enredo de Ivan aqui em Lyon. Então, agora, neste auditório, estamos fazendo a vida imitar a literatura. E eu sou muito grata por isso. Espero fazer jus a tão grande distinção. Sobretudo porque aqui estudou Frantz Fanon, discípulo de Aimé Césaire. Figurinhas do meu álbum de heróis. Eu sou uma estudante e, há alguns anos, também professora, seguidora dessa linha de pensamento que nasceu na Martinica. Estar aqui em um evento junto com o bloco Olodum me coloca num altar digno de uma rainha. É assim que me sinto, sem falsa modéstia.

Toda língua carrega vacilos da consciência. Desculpem o tom meio professoral, mas uma língua revela caminhos interessantes, que se apresentam sem filtros ou censura. Meu livro fala de jovens. Jovens negros disponíveis para a vida de maneira plena. O vocábulo "negro" é usado no português falado no Brasil quase sempre de maneira negativa, algo que está registrado até nos dicionários. Se buscamos palavras que estão ligadas semanticamente a *negro*, vamos encontrar tristeza, lamentação, medo, desvirtude, pretidão, servo, velharia, obscuridade, adversidade, dolorimento. Nada de que se vangloriar. A raiz "negro", entretanto, encontra em "negritude" uma das exceções a confirmar a regra. Negritude é um termo que orgulha os negros brasileiros.

Encaro este convite como uma provocação a nós, brasileiros. Para mim, a expressão usual da luta de Fanon é a indignação seletiva do mundo esclarecido diante de tragédias causadas por terrorismo, quando acontecem em Paris ou na Somália. Nós, os periféricos, não devemos esperar muito dos privilegiados que protagonizam o espetáculo da civilização. Devemos construir nosso próprio espaço, custe o que custar. E o básico, no tocante à questão racial no Brasil, é a necessidade de dar maior atenção aos desencontros do que aos encontros. A tradição brasileira preferiu ir atrás dos seus mitos e anunciar nossos encontros, deixando — ou desejando — que os desencontros desaparecessem a partir daí. Para mim, essa é uma perspectiva muito otimista, quando não ingênua ou até mal-intencionada se estamos tratando de relações entre humanos e sua propensão à dominação e ao abuso de poder. É preciso aprender a lidar com os encontros, ainda que partindo dos desencontros. Encarar as diferenças para que a indiferença não prevaleça. O amor ao próximo como mero conceito, desprovido da experiência, pertence mais à religião do que à ciência. E a experiência nos ensina que tudo do que o racismo precisa para fazer a violência emergir é da presença da negritude. Nada precisa efetivamente acontecer.

Como anunciado por Ortega y Gasset, aqui praticaremos a ciência sem prova explícita, usando como pretexto o conceito de prosa poética. Em busca de um fluxo narrativo que possa ser próximo ora de um texto de ficção, ora da associação livre. Acredito que assim um aspecto do discurso que me parece fundamental fica preservado: o não dito, o omitido, o subentendido, o misterioso. E o imprevisível. Acho que isso é vício profissional de uma professora que gosta de fazer junto e precisa, então, de alunos, de iniciados, de colegas. Esta questão da iniciação talvez seja o grande barato de todo esse trabalho em que estou envolvida.

A reflexão que faço no livro sobre os negros universitários do século XXI passa pela sua comparação com o contingente de negros brasileiros de outras gerações que também viveram um processo de ascensão social. Processo no qual me incluo. As narrativas conversam entre si. *Fossa das Marianas* trata dessa ascensão e da vontade de ascensão em várias gerações, desde o fim da escravidão, com João, passando por Bujega ou pelos amigos de Josi, até chegar a Elisa. Será possível para eles, resultados de fenômenos mais recentes, escapar das armadilhas a que fomos submetidos ao longo da história? Será possível que o saudável desejo de olhar para a frente não implique um apagamento do passado?

A ancestralidade sempre foi, dentro de mim, uma busca muito forte. Durante grande parte da minha vida, li, estudei e pensei sobre a questão da origem e a minha impossibilidade de chegar a ela. Basicamente pelo fato de que, como meus traços anunciam, sou descendente de pessoas escravizadas, o que faz qualquer pista sumir num raio de quatro ou cinco gerações. Sou fruto de uma composição étnica que faz de mim a minha própria origem. Um objeto não identificado. Penso que o exagero aqui é bastante pertinente. Em última instância, meu totem sou eu. E se isso tende a ser angustiante, ao mesmo tempo dá uma liberdade de criação, já que você não é criatura. E a minha construção diária com meus alunos é a reversão dessa vítima — que tenta criar uma identidade para se opor ao papel atribuído pelo opressor — em sujeito que navega pela sua identidade como um óvni. Esta é a iniciação que proponho. Uma iniciativa no sentido de se esvaziar e receber, em oposição a acumular e restringir. Meu trabalho na universidade — talvez alguns aqui não saibam — é voltado para professores e busca o seu fortalecimento para que possam formar sujeitos que se reconheçam integralmente como seres humanos, lidando com as dificuldades encontradas pelas minorias para se afirmar como tal. Em especial aqueles que irão trabalhar em situações de bastante violência objetiva e subjetiva.

Nós, brasileiros, somos filhos naturais do Ocidente. Frutos de desencontros, da possibilidade que se cria a partir dessa realidade. Da superação e reinstauração constante do conflito. Somos resultado da visão de que há um mundo construído contra nós — e a nós cabe resistir a ele e desconstruí-lo. Sob essa perspectiva, os mitos entre nós são frágeis, porque a história com que rivalizam é o próprio mito original. A ideia de mestiço e de amálgama pode causar a falsa impressão de que tudo já está resolvido, quando a nossa resolução é justamente a do por fazer. Nisso a negritude também é só um passo do processo. É a decisão de estar sempre a caminho, que devemos encarar como a nossa odisseia. Como um Sísifo, que em vez de empurrar a pedra para o topo da montanha, todo dia se joga num buraco cada vez maior. É como diz o ditado popular: "No Brasil, o buraco é mais embaixo". Para sempre. Nosso atavismo é o da eterna chegada, e não o da origem exaltada. Contudo, uma parte dessa chegada é formada de extrativismo, de arqueologia, em busca de tesouros perdidos e novos delírios imaginativos devido à nossa própria incapacidade de perceber quem somos. E que afeta, principalmente, aquilo que não gostaríamos de ser: nosso lado negro da força — vejam só a riqueza da linguagem. Isso, então, implica um futuro para além do buraco negro. É nesse futuro que já estamos e de onde avisamos que podem vir e se deixar cair no buraco da Alice preta. E a nossa presença desnorteada, de quem está eternamente caindo em si e fora de si, é também literalmente desnorteante, no sentido de que vem para — no limite — desestabilizar o norte, o padrão, o colonial, o francês, o europeu. Um futuro negro que inclui os indígenas: negros da terra.

Josi

Já é primavera. João precisa achar uma saída para ganhar a vida. Ele é um dos setecentos e vinte mil escravos que conquistaram a liberdade no último mês de maio. Antes mesmo daquele domingo treze, muitos já haviam fugido aproveitando a lei que proibia os açoites. Mas ele tinha as crianças e gostava muito delas. Não quis fugir com os outros. Agora vai competir com os forros e os livres. Não tem mais comida nem moradia. Tampouco terra. Mas tem filhos e mulher. E sabe plantar e colher. Já era assim que fazia para dar dinheiro ao senhor e também para alimentar sua família. João, por ele mesmo e por sua vontade, até tentaria a vida ali onde já estavam, mas Damiana, a companheira, queria ir embora o mais rápido que pudessem. Ela tem uma tia liberta, também sua madrinha, numa vila próxima. E Madalena avisara que eles podiam ir para a vila. Lá a chance de arranjarem alguma coisa é maior. Os fazendeiros vão precisar de gente para trabalhar. João é honesto e trabalhador. Pode até, mais para a frente, conseguir uma terra para viver de meeiro.

João fica próximo de Domingos, membro de uma família que morava na vila há muito e que contava ter uma mãe orgulhosa: "Ela não deixou que a senhora branca, dona da terra e sua madrinha, me levasse para criar e dar boa educação". A mãe sabia que aquilo queria dizer trabalhar na casa da branca e falava de dedo em pé "que filho dela não ia ser criado por ninguém que não fosse ela, não". João conhecia na sua região casos como o de Domingos, que era casado com Conceição e gostou de João de cara. As famílias acabaram se tornando amigas. Conceição levou Damiana para a igreja e lá ela pôde se aproximar da comunidade. Na igreja se encontravam pretos, mulatos e até os brancos. Mais do que as missas, havia os encontros na feira às terças, onde iam todos comprar e vender os produtos de suas roças e onde se ouvia de tudo, até lendas de gente que nascia preto e morria branco de tanto dinheiro que ganhara.

Na vila ninguém mais quer falar dos tempos que ficaram pra trás. Contam-se anedotas, até se ri de uma barbaridade ou outra cometida contra escravos africanos e crioulos. Na missa, o padre diz que uma coisa era ser escravo e outra é ser negro. E que o importante é atentar e seguir os bons conselhos dos homens de bem e da boa sociedade. "Percebe-se o medo de que tantos negros espalhados por aí possam aumentar a violência e os assaltos." O povo trata de concordar. Ninguém quer ser confundido com ladrão, nem com negro fugido.

Ali levam uma vida em quase tudo parecida. Poucos são os senhores da terra. A maioria é de gente remediada ou muito pobre batalhando para sobreviver. E João, contente de estar num lugar de todo familiar, pensa que é assim que ele quer melhorar de vida. Se afastar da sombra de ter sido escravizado. E das coisas que lembrem que um dia ele foi cativo. João quer passar pela peneira. Quer ser aceito pelo bom povo de Bom Jardim. Se acomodar por ali mesmo. Sabe que tem brancos que não gostam nada dos pretos. Conhece pretos quase assim também. Até africanos que tinham seus escravos e imitavam as maldades dos brancos. Que fiquem lá eles. Bem longe dele. João espera ter a sorte de encontrar pelo caminho algum barão que seja de boa paz e lhe ofereça trabalho a bom soldo.

João conhece o velho Crispim. O povo dizia que ele vinha de quilombo. Que tinha sido líder lá. Crispim vivia calado. Só falava de repente e era do tipo filósofo, conselheiro. Sabia tudo de ervas. Rezava a lenda que sabia conversar com as cobras. As crianças o adoravam. E era recíproco. Na primeira vez que conversaram, Crispim disse que sua mãe era uma africana ladina que viveu na Saubara e o ensinou a ler. João conhecia o lugar. A ele Crispim disse que houve tempo dos quilombolas poderem estar integrados, inclusive à feira da cidade. Mas o problema veio depois que escravo virou coisa cara e a repressão aumentou. Ninguém queria perder dinheiro. Para não ficar por baixo na conversa — e como não soubesse muito de coisas passadas —, João passou a inventar e juntar casos que ouvira de várias bocas. Contou ao velho que a seis léguas dali, indo para os lados de onde viera, existia uma grota funda para onde foram muitos negros fugidos. Lá se podiam ouvir os seus cantos, que eram num idioma diferente deste nosso aqui, porque se mistura com a língua dos espanhóis e com a língua dos judeus. E pelas músicas dizem controlar o destino até dos senhores brancos daqui. O povo chamava de irmandade das senzalas. E diz que se você chegar no fundo da grota, você acha caminho que vai dar até lá nas águas da baía pros lados do Acupe. E de lá eles conseguem conversar até com os parentes que ficaram no meio do mar sem conseguir chegar à Bahia. O velho Crispim chegou a concordar. Já ouvira falar da tal grota. Disse ele que tem gente que fala de uma pedra que junta Bahia e África. Outra parte do povo diz que esses negos fugidos se jogavam na grota para se matar, sem querer voltar para os patrões. E que esses ventos e essas chuvas fora de hora que a gente vê por aqui são assuntos deles. João — gostando de ser um contador de casos naquela prosa de beira de fogueira — conta que na terra dele se dizia que quem avisa de chuva é o vento, e o vento é quem tira metade da chuva.

Mais de cem anos depois, os descendentes de João ainda vivem no mesmo recôncavo. Uns poucos conseguem levar a vida na capital e os filhos vão nascendo por lá. A maioria continua ali sem nada saber sobre seu ancestral ou sobre o velho Crispim ou sobre Domingos. Na sala de cima de uma casa com três andares, separados por pequenos lances de escada, reúne-se em frente ao telejornal parte dessa família. O dia é ensolarado, mas há um ruído da chuva que cai de leve, fininha. Dona Moça se mostra temerosa pela neta que vive na mesma cidade daquela notícia de morte violenta que aparece na TV, "um lugar onde tanta coisa ruim acontece, meu Jesus!". Josi, sua neta, lhe acalma, dizendo que muita gente mora ali — o que explica a aparição frequente da cidade na televisão — e diz que está protegida pelo anonimato no meio da multidão. "Esse bairro aí da televisão é muito distante de minha casa, vó."

A reportagem que deixava a avó inquieta era do tipo jornalismo investigativo. Um programa focado na vida de um sujeito morador de periferia, mergulhador desempregado e ex-funcionário de uma plataforma de petróleo, convencido pela mulher a entrar para a igreja dos crentes. Isso porque a situação em casa tinha piorado muito desde que ele começara a tomar porrada na rua por fazer bicos como segurança em uma loja no centro da cidade. Ela dizia que aquilo era encosto. Os caras, além da surra, ainda levavam seu dinheiro e diziam que ele só ia apanhar na cara. Ela acreditava que na igreja ele se afastaria desses problemas. Na noite anterior, seu vizinho de parede fora assassinado em casa enquanto assistia ao mesmo noticiário — em que se vê agora a reportagem mostrando imagens suas, morto, do lado de fora da casa, coberto por um lençol branco, apenas com um dos pés aparecendo. E com todo o pessoal da rua em volta olhando — para o morto ou para os aparatos de filmagem.

Enquanto a tragédia do vigilante ainda rende assunto entre Josi, a avó e o povo que veio se acomodar na sala, quem vem chegando da rua é Branca, seu camarada dos tempos em que as idas à cidade eram mais frequentes. Desde menina, Josi adorava o jeito como os amigos iam aparecendo ali na porta da casa de sua avó quando sabiam que tinha gente de fora. Ela sorri intimamente por isso continuar acontecendo tanto tempo depois. Branca e Josi já não se viam sabe-se lá desde quando. A economia parada da cidade fazia com que os jovens, logo que saídos da adolescência, fossem tentar a vida fora da cidade. Branca foi só mais um. Mas está voltando. Foi designado para descobrir que tipos de abuso são mais frequentes na região. Ele, que era um dos garotos brigões e o mais respeitado por todos, agora estava contratado por uma organização não governamental com atuação forte na região para estudar os efeitos da estagnação da cidade nos mais diversos campos.

Os dois saem de casa depois do almoço e atravessam a rua para encontrar Jeferson, um primo dela que mora na casa bem defronte à de dona Moça. Eles querem chamar Jel para ir *comer água* no bar de Orete, o bebum mais engraçado do mundo, que era casado com dona Berré, uma tia de Branca. Jel está ocupado, tentando ajudar Bizé, e os quatro acabam tomando suas cervejas ali mesmo no parapeito da janela, enquanto Jel mexe no computador. Bizé — o mais velho de todos — sempre fora cheio de malandragem e, agora, professor de educação física, trabalhava na secretaria de esportes da prefeitura. Já tentara até ser vereador, mas sem passar nem perto da votação necessária para a eleição. Sua campanha era sempre baseada na vontade de fazer da cidade um polo afro-cultural do estado. Uca, seu irmão, fora militante do movimento negro, e assim ele se aproximou da política, embora fosse tratado com desconfiança por viver mais entre os brancos do que entre os negros. Se é que se pode chamar alguém de branco em Teodoro Sampaio. Para os padrões da São Paulo de Josi, ninguém seria.

Desde que o modem fora instalado no computador da sede do centro de artesanato — de que sua tia Vevé tomava conta —, Jel estava tentando aproveitar para conhecer a tal da internet. Na maioria dos dias jogava campo minado, *Fifa Soccer* e *Doom 3D*. Celso Negão lhe batizara na área de informática, no CPD de uma firma de construção civil de Feira de Santana, onde prestava serviço. Jeferson passara algumas tardes ali com a desculpa de ser assistente de Celso, um dublê de técnico de eletrônica e trambiqueiro de computador que — sabe-se lá por quê — todo ano fazia vestibular para medicina. Na página do IBGE eles descobrem que Bizé fora aprovado e deveria se apresentar para integrar o corpo de pesquisadores do Censo do ano 2000. Mais garrafas de cerveja vazias foram parar no engradado, e Josi sem saber se sua resistência à bebida ainda era a mesma.

Por morar em São Paulo, Josi tem aparecido muito raramente na cidade. Sua chegada, pouco antes, fora como de costume: Teodoro Sampaio — Bom Jardim para os íntimos — vista, num primeiro momento, pelos vidros do carro, enquanto seu pai entrava na cidade acenando para os seus conterrâneos, satisfeito por estar ali. A mudança mais visível no local era a presença gritante de grades: destas com lanças na ponta ou nos dois extremos ou até nos quatro lados, formando uma estrela esquisita. E também aquelas que vão até o limite dos telhados das casas, chocando com a cumeeira, e as outras das quais se vê a sala em L com a varanda gradeada e uma janela desproporcionalmente alta, também gradeada. Tipos mais variados, que fazem pensar no quanto essa atitude deve ter alterado a dinâmica do lugar, fazendo emergir a camada dos ferreiros construtores de grade.

Quando esse assunto entrou na pauta do almoço, a vizinha dona Dulce, que fazia os melhores bolinhos de arroz da cidade, contou, quase orgulhosa, que "até o banco na rua que dá fundos para a do ginásio já foi assaltado". Sugeria-se ali que o motivo para tanta proteção seria o pânico da violência, que se difundia em toda parte e inspirara aquela quantidade totalmente absurda de grades para uma cidade daquele tamanho. Mas o real motivo era a ascendência de Wal, um comerciante que prosperou no começo dos anos 1980 inaugurando essa estética gradeada, que aplicou na construção das várias casas que alugava. E manteve a sua própria casa, a mais pomposa no estilo, com a grade vazada na base e sob o muro azul-celeste de cimento rebocado — alcançando uns quatros metros de altura todo o estandarte. Para quem vinha na calçada, o susto era causado pelos latidos e focinhos dos cachorros da mulher de Wal farejando nos intervalos da grade. A visão era ainda mais esdrúxula para quem vinha pela pista, de onde se via apenas o telhado. A pista dividia a cidade entre os que moram na baixada, com seus quintais banhados pelo rio, e os que moram à esquerda de quem chega à cidade, no alto, no lado do cemitério e da Caraconha. A casa da avó é do lado direito, o do rio, o mesmo da casa de Wal, o atual prefeito da cidade que, com o status alcançado, influenciou a gente remediada da cidade a também colocar grades nas suas casas. Bom Jardim, cidade de povo guerreiro, não podia ficar parada e clamava por seu lugar na cadeia global.

Ivan

No final do dia, um estudante brasileiro vem falar comigo. Ele é pesquisador na escola de Ciência da Computação de Lyon e me convida para comer no mercado Les Halles. O lugar leva o nome de Paul Bocuse, o famoso chef da cidade, e é cheio de boas opções. Acabamos nos decidindo por um restaurante com comidas do sul da França. Não sou nenhuma gourmet, mas adoro comer bem, e a comida ali era dos deuses. Antes de chegarmos à estação de metrô onde saltamos a caminho do mercado, Ivan me contara que adorava a cidade e estava aproveitando para estudar o básico sobre teoria do cinema. Ele já havia feito um curso livre de roteiro. "Lyon é a cidade dos irmãos Lumière e a oportunidade caiu no meu colo." Demonstrei surpresa pelo interesse dele, tentando extrair daí alguma dica sobre o tipo de filme que apreciava. Ele foi direto: ficção científica. Fora colecionador de quadrinhos quando adolescente, mas se surpreendeu consigo mesmo, já que nunca fora um cinéfilo. Aconteceu que, ao participar de uma palestra no Instituto Lumière sobre a linguagem cinematográfica em tempos de cultura digital, ele atentou para a proximidade que havia entre os conceitos de linguagem de computação e linguagem cinematográfica. "Cada uma usa à sua maneira algoritmos que tentam executar funções — com eficiência, no caso dos computadores, e fluência narrativa, no caso do cinema."

Acomodados no restaurante, pedimos uma garrafa d'água e ele me ensina: "Se pedirmos uma *carafe d'eau*, vai sair de graça". Comento, para sua surpresa, que esse hábito finalmente já chegou ao Brasil. "Só não dá pra confiar na qualidade da água que vem. Um garçom já me falou que ele não bebia aquela água da casa nem pago." Depois de matar a sede, conto que me dá medo o domínio que as máquinas têm sobre nossa vida. "O fato de elas estarem prestes a antecipar nossos desejos é angustiante, visto que todo o resto já conseguem." Ivan argumenta que o perigo da dominação pelo digital não é pior do que o perigo de qualquer outro tipo de dominação, e que o poder de não se deixar dominar sempre estará nas mãos de quem o queira. "A questão é que muita gente precisa de alguém para dominá-la. Tanto para amar quanto para sofrer." "Meu problema é que não tenho paciência pra discutir com robô, e acho que a cada dia há mais robôs querendo discutir", disse a ele meio insistente. Ele concorda, não sei se para evitar a discussão ou simplesmente para que pudéssemos falar de outras coisas. Aos poucos chegamos ao assunto da vida como imigrante naquela cidade. Ivan me diz — sem que eu o tenha forçado a ir por este caminho — que se sente muito confortável, racialmente falando. Sua namorada é francesa e a aparência dele não provoca os mesmos desacertos que provoca no Brasil. "Sabia que aqui na França está a maior população negra da Europa e, na região próxima a Lyon, a maior fora de Paris?", pergunto para entender seu envolvimento com a comunidade de negros da cidade. "O que observei foi que os negros não se identificam prioritariamente pela cor de sua pele. E isso vejo por toda a Europa." Ele conta de um encontro com um motorista de táxi negro em uma ida a Paris. "A primeira coisa que ele fez questão de me dizer, quando tentei perguntar a origem de sua família, é que era francês. Tomei aquilo como um puxão de orelha. Travamos aquela conversa básica sobre futebol quando ele soube que eu era brasileiro e falamos de maneira solta sobre o bom time da França. Ele me disse que seu filho queria ser jogador, mas não manifestou para mim nenhum orgulho especial pela seleção francesa ser em sua maioria formada por negros filhos de imigrantes. E realmente não houve entre nós uma cumplicidade pela nossa cor de pele comum." "Talvez ele não te visse como negro só por você ser um brasileiro", arrisquei.

Nessa conversa com Ivan eu relembro a emoção na escadaria do Duque, no caminho para o Bairro Alto, quando fazia doutorado-sanduíche em Lisboa. Saíra na noite com colegas angolanos de quem acabara de ficar mais amiga. Ninguém ali era descendente de escravos além de mim. Todos conheciam o racismo, mas não sentiam o peso da inferioridade que a escravidão faz um negro que nasceu nas Américas carregar. Todos acreditavam saber de onde vinham suas raízes. Sua árvore genealógica estava disponível. "Eles eram tão pretos quanto os brancos eram brancos. Imigrantes e nada mais. A diferença racial ali — do ponto de vista de uma sul-americana como eu — tinha ares de neutralidade. E aquela espontancidade me deliciou." Ivan, com seu jeito de falar preciso (uma mistura muito agradável de jovem categórico com assistente virtual de telefone celular), entende que não se deve desprezar a dor de ser um imigrante na Europa: "O imigrante não é o diferente neutro que você menciona, mas, como diz um conhecido meu brasileiro que mora entre Paris e Londres, essa molecada da periferia francesa precisava ir ao Brasil pra aprender que estão reclamando de barriga cheia".

Falamos rapidamente de seus dias como estudante de graduação neste campus da universidade onde está acontecendo o seminário. A sua faculdade de informática também era no campus Lumière. Falamos sobre Frantz Fanon e, depois de uma apresentação rápida que faço sobre a importância do martiniquês, ele demonstra orgulho por Fanon também ter estudado ali e diz agora entender como a noção de pan-africanismo tem a ver com a cultura negra em Lyon. Eu rio da sua eloquência. "Não sabia que seu interesse pelas questões da negritude era tão grande." "Estou interessado em todo o conhecimento que estiver ao meu alcance." "Fanon tem tudo a ver com o que estamos discutindo aqui na mostra de cinema, não é?" Ele assente, fazendo um gesto engraçado que mistura um meneio com a cabeça e um franzir de rosto que identifico como um aprendizado de seus anos na França. Percebo que aquilo é um sinal para me motivar a falar mais. "Essa geração de jovens negros brasileiros, os assim chamados tombadores, está no movimento de identificar qual a sua missão, e lutando por esta missão." Ele parece concordar, enquanto retruca: "Nós aqui, neste restaurante de chef premiado francês, estamos nos comportando como pretos que dominam a etiqueta branca. Não acha?".

A pergunta, vinda na sequência do gesto afrancesado feito logo antes, tem o poder de gelar meus ossos. Mas me sinto sem barreiras para me expor. "Nós dois sabemos que sim. Fico feliz por, tão novo, você já saber disso." Ele me devolve com um riso tranquilo: "Isso não é nada mais do que eu tenho sido a minha vida inteira. Minha avó falava que eu não imaginava a qualidade de minha bisa. Que ela tinha olho claro e cabelo de índia. Ela queria que a gente soubesse disso, como quem avisa que podíamos ir longe. Ela queria que a gente fosse longe, e o cabelo liso de minha bisavó parecia uma permissão para sonhar com o sucesso". Ele para e complementa, já rindo num tom bem brasileiro: "Eu nunca consegui realizar muito essa pessoa de olho claro na minha família". "Você não deve se martirizar por isso. Cada um carrega a sua cruz, que é também a sua salvação. Foi escolher estudar na terra de Frantz Fanon e aprendeu sem se dar conta. Seus movimentos e a presença do seu corpo já representam uma resistência. Como você acha que Obama faz para botar a cabeça no travesseiro e pensar em tudo que ele não está tentando ou conseguindo fazer?" "Não sei se concordo com isso. Não me identifico com Obama. Acho que vim assistir a seu seminário pra ver se consigo entender qual é a minha luta." "Gostei. Vamos ver o que você me conta amanhã quando terminarmos."

A comida chega, o garçom se prepara para me servir, mas a minha fissura pelo assunto se impõe e ele espera que eu conclua o raciocínio: "Fanon, como nós, também era de classe média. Escolha suas armas e siga em frente. Quem te ameaça? Enfrente. Não importa a situação em que cada um se encontra com sua identidade — e não se deve menosprezar a ideia dos milagres do povo". Dou o sinal para que o garçom continue seu serviço, enquanto arremato: "Mas, depois de comermos, me conte como era a vida no Brasil. Quero saber desse cientista que saiu da Baixada Fluminense para chegar a Lyon e que agora resolveu dar um mole para o povo das humanas".

Bujega

— Por que não, playboy?

Não era para ele dar ouvidos a um impropério desses, mas a pergunta ficou rodeando a sua cabeça, causando um desconforto digno de uma náusea. Jamais fora playboy na acepção que ele próprio dava à palavra. Muitos dos seus problemas vinham exatamente do seu desajustamento com a lógica playboy. Sua tradicional incompetência com as meninas ou o trato acanhado com a maioria dos meninos, restrito aos intervalos da prática de esporte. Durante anos fez o mundo girar em torno da bola para poder fazer parte da roda. Mas assustou-o aquele pivete encostado no carro fazer a pergunta porque ele se negara, com a cabeça, a dar um gole da coca-cola que tomava, distraidamente. Não havia presenciado fantasmas até aquele demoniozinho cruzar o seu caminho com aquela questão indigesta.

— Por que não, playboy?

Ficou com o arroto da coca preso na garganta e deve ter sido esse ar que se instalou dentro dele — e que dali em diante foi afetando outras reações químicas do seu corpo. Achava que inclusive lhe causara alterações fenotípicas. Afinal de contas, aquele guri era mais parecido com ele do que a maioria dos playboys que conhecia. Porém, tanto para um, quanto para o outro, eles eram diferentes. Um tomava e o outro pedia coca-cola. Grande diferença.

Era mestiço, o que não quer dizer nada para a maioria das pessoas do mundo do qual fazia parte. Para elas, fora quase sempre moreno, neguinho, meu nego, preto. Nunca tinha sido tratado agressivamente em função da cor de sua pele. Tudo era sempre enunciado de maneira simpática, como se lhe agradasse ser tratado desta ou daquela maneira. Apenas pequenos preconceitos. Um tratamento que já o colocava em algum lugar. Antes, o mundo não se separava a partir dos tons de pele. Entre seus familiares, havia tudo quanto é tipo de gente. Chegara à adolescência com essa noção — ou a falta dela. Depois esses adjetivos tornaram-se frequentes para os outros se referirem a ele. Aí foi rápido perceber que isso realmente era uma coisa que o distinguia da maioria ao seu redor. Ele era o neguinho por ali. Havia também uma neguinha, mas ela saiu logo no seu primeiro ano. Ficou para sempre a dúvida dos motivos que a levaram de lá. Guardou um sentimento ruim de nunca terem travado muito contato. Talvez ela precisasse dele. Afinal de contas, ela não sabia jogar. Devia ser mais difícil de se enturmar.

Seus pais não eram ricos e eles eram quatro irmãos. Na sua cabeça, aquilo custava caro. Era um esforço. Mas dinheiro nunca aparentara ser um problema em sua casa. Não ganhavam mesada, nem viviam ganhando presentes, mas havia uma bolsa de couro preta na parte alta do guarda-roupa do quarto dos pais onde o dinheiro ficava à disposição para as necessidades dele e de suas irmãs. Era uma saudável responsabilidade. Talvez tenha se sentido em dívida de confiança com os pais, e por isso foi um bom filho, um bom aluno.

A saída da infância consistiu em se aproximar dessas pessoas para quem ele era o neguinho. No começo foi difícil, mas a partir de algum fato obscuro — provavelmente ligado à vontade de fazer sexo — ele não se fez mais de rogado. Deve ter sido aí que virou um playboy. Bem antes daquela coca-cola e dessa viagem retrospectiva por tudo que acontecera até aquele momento fatídico do neguinho pivete; todo o percurso antes de ter se tornado um deles. Playboy.

Depois veio a transformação em um negro por convicção, e sua primeira leitura foi o livro *Raízes*, que contava a vida de Kunta Kinte. Havia visto a série na televisão com interesse genuíno e descobriu o livro em uma biblioteca qualquer. Foi por esse tempo também que apareceu o sinônimo de playboy no português coloquial do Brasil: *mauricinho*. Era para ele uma palavra mais simpática. Pelo fato de ser uma palavra em português, mas principalmente por ter observado o seu aparecimento e perceber as nuances de sentido que havia naquele conceito. Aquela era uma palavra mais próxima da realidade do que playboy.

Não que ele simpatizasse com os mauricinhos em si. Se o elemento tivesse lhe chamado de mauricinho, teria sido melhor ou pior? Com certeza teria se ofendido mais. Mauricinho ele não era de jeito nenhum, não usava aquelas roupas que eram o ingrediente principal do arquétipo. Ele teria reagido ao pivete, talvez tivessem até brigado. Teria sido melhor ou pior? "Playboy é mais geral do que mauricinho" foi o que logo aprendeu. Ele nunca tinha entrado num playground, mas era playboy. Nem teve muitos brinquedos na infância — dava até para lembrar de todos —, mas gostava de jogos. Playboy seria qualquer garoto que brincasse com jogos que se vendia em loja. Diferente de esconde-esconde, picula ou esses outros que se brinca nas ruas.

Precisava explicar para si por que achava que não era um playboy. O pivete lhe mostrou que não bastava ser preto ou tipo um preto para não ser playboy. Sua imersão precisava ir além. As meninas não o olhavam porque ele era preto ou porque ele não era playboy? Seus pais educavam-no para ser preto ou para não ser playboy? Será que era preciso ser pobre para se ter a chance de não ser playboy?

Playboy, para ele, era sinônimo de burro, direitista, alienado. Um boçal, em suma. Concluiu que havia playboys pobres. Aqueles que tentavam imitar os modos dos playboys ricos. Tudo bem, ele usara perfume durante um período, mas será que isso fazia dele um playboy? Playboy era uma pessoa quase inacessível que tinha carro e namoradas. Conhecera a palavra através da revista, então devia ter alguma coisa a ver com ela. Distante e sedutor? Era uma possibilidade. Antes dos playboys já havia os playgrounds, e os playboys eram bon vivants. "To play" existe em oposição a trabalhar, muito antes ainda dos playgrounds. Não havia nem Estados Unidos nessa época. Todo mundo que quer ser milionário ou bon vivant acaba virando um playboy? Assim é difícil escapar.

O incômodo insistiu. Já que seus sentimentos o afastavam do playboy — apesar da acidez daquele saci e da sua própria falta de argumentos que o convencessem plenamente —, ele persistia na pergunta: "Por que não sou playboy?". Todo o mundo, inclusive aquele garoto, conspirava a favor da sua natureza playboy — só que ele se recusava a isso. Ele era um derrotado e o que aquele garoto tentava lhe dizer é que ele era um vitorioso filho da puta. O que para si era um xingamento totalmente depreciativo, para o pivete tinha algo de uma saudação — não desprovida de uma ironia que o libertava daquele problema, já que era ele, aos olhos de todos, o derrotado. Era uma coisa do tipo "eu sou um preto legítimo e você é meio parmalat, mora em prédio e coisa e tal" que o pivete lhe dizia. Ou em outras palavras: "Salve, neguinho playboy, vencedor babaca".

Só que o playboy legítimo, para ser realmente bem-sucedido, não podia nem trabalhar; trabalho é uma coisa menor. Para os perdedores fazerem. Então as pessoas que se esforçam no trabalho para serem playboys estão vivendo em contradição. O nosso mauricinho realmente não chega a ser um playboy legítimo. Ele apenas se fantasia de playboy para fazer de conta durante a semana. Uma fantasia sexual provocada pelas coelhinhas da revista.

Só mais tarde constatou que, apesar de derrotado, ele estava a salvo. Restava descobrir como se salvara. Agradecia o elogio do pivete que pelo menos soube lhe distinguir e não o chamou de mauricinho. Talvez com um mauricinho ele, pivete, nem falasse com tanta intimidade. Talvez a pergunta tenha lhe salvado. Talvez o verdadeiro nouveau-playboy fosse o outro, que vivia na rua com uma liberdade que ele jamais teria sendo um falso playboy de classe média. Além do mais, como é que alguém desde criança apelidado de Bujega poderia ser um playboy?

— Hoje em dia os pivetes na rua me chamam de tio, alguns poucos de bróder. Cinismo ou carinho?

Cristiane

Quero começar o dia falando de Augusta. Não sei o que minha antiga terapeuta acharia de eu usar essa exposição pessoal como um dos pontos de partida em conversas como esta. Foi ela quem me incentivou a trabalhar o assunto e, se eu parti para algo próximo a uma autoficção, o fiz justamente por causa da minha boa experiência com o tratamento psicanalítico. Revisito passagens da minha vida em que as emoções presentes se deviam a uma difusa pressão que minha raça impunha em determinados contextos. Descobri que isso é normal depois de fazer psicanálise. E incomoda que alguns aleguem que há aí uma mudança de mentalidade dos negros. Atribuo essa reescrita ao silêncio sobre o que representa o negro, o que faz cada um sentir-se uma ilha até identificar-se com o coletivo dos negros e a sua forma de se expressar: a assim dita negritude. Ao final, não sei se tudo que tenho feito é fruto de um embate com essas tentativas de deslegitimação e se caí na armadilha do confronto vaidoso. Acredito, porém, que estamos realmente no meio de uma crise de identidade. Ambiciono criar um discurso que permita a todos entender do que trata o racismo ou ao que diz respeito a nossa aspiração de futuro — da mesma maneira que as pessoas se tornam especialistas em economia a cada crise financeira. Ou em política a cada crise política. Me parece que o importante a se discutir é a discriminação. Colocar em relevo as nuances conceituais entre preconceito, discriminação e racismo. Mas não quero me apressar. Nosso debate fatalmente esbarrará nisso. Muitos autores que respeito dizem que nossa empatia e capacidade de fraternidade podem fazer com que avancemos rápido e superemos a desigualdade. Porém, não é isso o que se observa, porque o brasileiro carrega também uma propensão à violência muito grande. Violência que nasceu com uma escravização do tamanho da que aconteceu em nosso território. Eis que a escravidão criou uma sociedade que teme e, ao cabo, odeia a liberdade. Uma sociedade fascista que vive dentro de um povo amável. Superego castrador da gente feliz do lugar. E desconfiamos todos que as redes sociais e a internet estejam trabalhando mais do lado da violência do que da empatia.

A experiência de ascensão do negro é solitária e cruel dentro deste mundo que enaltece a força do gesto individual. O caminho é para a frente e para trás simultaneamente: tornar-se negro é uma experiência individual, mas a consciência frequentemente sobrevém da iniciativa coletiva dos diversos movimentos negros: dos quilombos ao rap, passando pelas movimentações mais estritamente políticas. O que essa juventude grita com energia renovada — e isso é lindo — é que esta deve ser uma experiência coletiva. O que transborda — possivelmente com algum toque de originalidade — é um potente amor a si mesmo e à ideia de identidade, que passa por entender-se e por sentir-se capaz de contagiar uma massa enorme de pessoas, tornando-se cúmplice das experiências alheias. E fazer esse movimento agindo — e não só reagindo —, sem abdicar da espontaneidade.

Fiz faculdade no tempo mais curto possível. Era ótima aluna e saí emendando a carreira acadêmica até concluir o primeiro pós-doutorado. Vivi a neurose de ser a melhor. Me imaginei no topo e sofro até hoje as consequências disso. Porque o topo não era para mim. E essa descoberta foi dilacerante. Quisera eu ter chegado um pouco depois. Ir ao cinema ou ao teatro e reclamar do que a nova geração reclama. Apontar para os deslizes na nossa representação. Eu cheguei bem antes e vi no céu — seja pelas nuvens, seja pelas estrelas — um desenho muito diferente do que aquele que eles viram. Minha militância, portanto, foi outra. De uma coisa não tenho dúvidas: é bem melhor com eles. E eles estão mais certos do que errados. Mas eles ainda não estavam por aí quando eu preparava meu arsenal. Sozinha, abandonada à própria sorte até por minha irmã — ela se chama Mariana —, que insistiu em ser morena.

Não foi o acaso que me trouxe até aqui. Fuçando, fui descobrindo o esforço coletivo que resultou na minha chegada à universidade. Firmeza que gera firmeza. E aprendi também que encarar algo como uma oportunidade já é em si uma prisão, é jogar o jogo do incluído. De alguém que deixa algo pra trás. Atravessei esse desejo, esse deserto. Mariana não conseguiu cursar uma boa faculdade, talvez hoje com as ações afirmativas conseguisse algo melhor. Se ela estivesse aqui presente, todos notariam que, embora tudo demonstre que somos irmãs, a cor da pele nos distingue. E isso criava entre nós um fosso que dentro de casa não existia. Muito embora isso não vá fazer parte da história do Brasil — e talvez nem da dela, uma vez que ainda hoje mantém isso preservado na fossa mariana de seu subconsciente —, trata-se de algo que ainda assim serve bem para clarear aspectos da questão racial brasileira para auditórios estrangeiros.

A importância que vejo nisso é que eu não nego a ela o direito de ser cotista por ter a pele mais clara. Não vejo aí oportunismo e sim oportunidade. Tenho um amigo pernambucano que adora ditados — entre eles, um certeiro: "Escapou de branco, nego é". É isso. Tomar um banho de piche. Em francês se diz *brai*. Para nós é breu, betume. Se autodeclarar negro é um gesto inicial sem retorno. Um branco entra pela primeira vez num candomblé e descobre, mesmo sem levar muito a sério, que tem um orixá. Em pouco tempo envereda por ali e vai se tornar abiã naquele território. Um lourinho resolve incluir-se nas cotas de forma condenável, para simplesmente fraudar, e vai se entender com a decisão dele e de outra forma corporificar o que significa o tipo de falcatrua em que se meteu. Entrar para o teatro negro de um terreiro de candomblé ou fingir ser negro é passar por um espelho. Black face no rosto dos outros é refresco.

Hoje consigo ver minha irmã como uma negra de um tom de pele diferente, mais claro do que o meu. A afirmação da mistura, do sincretismo e da miscigenação como mérito cultural não deve servir para apagar esse fato. Afinal de contas, de saída, somos todos falantes do português. A mestiçagem já está presente quando abrimos a boca para falar. Mas, antes da fala, vem a cor da pele. É este o cartão de visitas que dispara o preconceito — que vai se adequando, desfazendo ou reforçando à medida que o objeto negro se aproxima e cresce diante de olhos e ouvidos amedrontados, raivosos, cínicos. Eu sou negra de longe, ela de perto, se é que me entendem. Mariana é uma negra de pele clara. Crioula. Se ela conseguir se enxergar no jogo dos espelhos, os reflexos do bicho interno e do bicho vestido conforme a etiqueta serão negros, e no meio dos dois estará sua natureza. A experiência de expectativas impostas e autoalimentadas que alienam esta realidade é que cria uma casca da qual ela precisa se livrar. É o banho inicial. Como no novo batismo que decidiu fazer depois de adulta. Mas o meu banho seria feito com as folhas corretas.

Elisa

E agora vejo Mariana em Elisa, a filha mais nova de Dinha, minha diarista. A filha é de Oxum Apará e a mãe, de Oxaguian. Elisa e Dinha são filhas de santo do mesmo terreiro que frequento. Lá, Elisa me ensina e dá ordens. Ainda mais porque ambas somos yaôs do mesmo orixá. As duas aprendemos muito com essa inversão natural dos papéis de mestre e discípulo já que, ainda que eu tenha muito mais anos de vida, ela tem mais tempo de santo. E, acima de tudo, porque ela é muito mais membro da tribo do que eu. Sua família e amigos estão em peso lá, a começar por Dinha. Já eu não tenho parentes de sanguc. Mc aproximei do terreiro e fui ficando. Ou — o mais provável — não tinha mais como sair.

Na faculdade será minha vez de fazer o papel de mestre. A aposta de todos que cercam Elisa e dão importância ao seu feito é enorme. A responsabilidade de ser a primeira da família a entrar na universidade traz esperanças e também desconfianças. Provas e mais provas de excelência. Será assim se ela assumir que quer entrar e fazer parte de um jogo que já estava em curso muito antes de sua chegada. Mas Elisa já pode saber que, para o jogo ser bem jogado, a bola tem que passar por ela. E essa é a única dica que me permito lhe dar quando ela entra na minha sala no departamento com brilho nos olhos e sorriso perfeito para falar sobre suas escolhas de cursos para o semestre.

Fiquei feliz por ela ter escolhido estudar pedagogia. Sua natureza altiva e orgulhosa nunca dera pistas de que tinha em mim uma referência. Tivemos tantas conversas sobre como era andar de avião, como era viver no temível paredão controlado por traficantes de São Paulo que invadiram os bairros pobres em Salvador, como eram as aulas na escola pública onde estudava à noite ou como era a faculdade onde eu dava aula. Mas subestimei a perspicácia de Elisa e suas perguntas. Já ela me achava calma demais para uma filha de Apará com Ogum e isso era quase verdade naquele contexto, onde não me via numa posição de poder ameaçadora ou ameaçada. Mesmo num meio com tanta hierarquia e disse-me-disse, eu era uma guerreira pacificada. O que para mim sobressaía na nossa roça era a noção de solidariedade.

Fico aflita e superprotetora por saber que Elisa — mesmo sendo tinhosa que só ela — vai estar exposta a tantas situações novas. Fico tensa por ela começar a frequentar lugares com menos pretos. Muito menos do que ela está acostumada. A ser simpática com os pretos que, como a mãe dela, estarão servindo. Tentando demonstrar que é um deles e que entre eles não há diferença. Vai receber em troca tanto cumplicidade quanto desdém. A fraternidade muitas vezes revela códigos que infantilizam o outro como forma de afirmar-se. Comportamento de irmão mais velho. Ela vai pensar em suas irmãs de santo nessa hora. Sentirá gana de interferir e pedir que demonstrem orgulho. Embora em Salvador ela possa se tranquilizar bastante com isso. A raça ruim do sol quente dificilmente abaixa a cabeça para qualquer um no dia a dia. Há um treinamento no exército do povo que habilita todos a ter uma resposta de deboche, afronta ou revide que bota o interlocutor no seu lugar. Ou não deixa que o outro te aponte um lugar. Sem que isso seja necessariamente uma agressão. Chiste feito com senso de humor e de forma espirituosa, mas contundente. Práticas de candomblé que se espalharam pela sociedade baiana. Assim como existe a axé *music*, existe o axé *behaviour*.

Elisa gosta de ouvir Baco Exu do Blues cantando "Te amo disgraça". E gosta de Psirico porque acha Marcio Victor um gostoso. Como reagirá à postura alienada daqueles colegas que estão ali na mesma situação que ela? Vejo nela a intrepidez para encarar tudo isso — algo que eu mesma acho que não tive. Nem Mariana. Para Elisa, o estranhamento seria a presença e os hábitos da classe média esbranquiçada, que ela conhecia, pela sua convivência nas casas dos patrões de Dinha, bem menos do que imaginava. Mariana vivera sua vida na bolha quase branca da cidade. Como será em Elisa a conquista dos valores brancos e de suas prerrogativas? Ela sonhará em ser tratada como branca. Para fugir do esquema que associa negro a miséria. E terá que resistir e aprender a recriar-se a partir daí. Para não assimilar que ser exceção é ceder às perspectivas brancas. Como ela brigará internamente com isso? Elisa que tem seus modos. Elisa que gosta de Baco Exu do Blues.

Quando éramos estudantes, já havia negros e, sempre, os queimados de sol com os seus eufemismos coloristas à tiracolo. O que não havia era o olho no olho. A cumplicidade que há quando dois pretos se cruzam na rua, num espaço onde sua presença é exceção. Na universidade éramos minoria e as máscaras prevaleciam. E a preponderância da presença branca diluía tudo ainda muito mais. Vez por outra falávamos de preconceito, mas não discutíamos muito coisas mais pessoais. Ser a melhor, a mais gostosa, o cara do pau grande, a mulher fogosa, ter vergonha do corpo. Era cada um por si. Nem mesmo havia a compreensão de que, na relação com os brancos, estávamos frequentemente no jogo de ser embranquecidos. Mas minha raiva, intuitiva, vinha principalmente quando alguém dizia que um de nós não era tão negro assim. Era coisa sonsa vinda de fora para dentro. Era o dedo na ferida. Me sentia destituída. Eles me tornaram negra marcando a minha pele como diferente para, depois de eu ter me compreendido, quererem dizer que eu não era tão negra assim. Escrotos do caralho. Agora, os colegas de Elisa não deixariam essa gracinha passar sem que os palhaços ouvissem uma de volta. Um passo à frente. Quem precisa mudar é a cabeça do branco, e não a dela. E eles que são brancos que se entendam com sua cabeça e seu racismo. Porque Elisa quer é desfilar e ser feliz.

Agora os meninos andam pelos corredores confiantes, ficam sentados no chão desafiadores. Um delírio ver isso. As meninas à vontade como se estivessem em mesas de festas chiques aonde nunca foram. Ninguém se preocupará com os olhares desconfiados da freguesia acostumada ao local. E falam de raça. Encaram o tabu de frente. Não é fácil falar do assunto, mas eles o fazem e, sendo jovens, tropeçam e esbarram. Mas andam. Mesmo que a ilha da universidade seja apenas um oásis. E o que então eles esperam de Mariana? Esperam ser a catarse da mulata inzoneira? Fingir que ela não existe? Não creio que será assim. O rock não morreu, mas dei ouvidos para muitas baboseiras. Tive dias em que tirava minhas lasquinhas por ser negra. Dona do terreiro. O que se faz para sobreviver? E as malandragens para manter intacta a dignidade que vivia escondida, submersa? Jogá-las fora em nome do combate direto? Mariana é da turma da capoeira e, eles, do *ultimate fighting*. Ela é Pastinha, eles Anderson Silva, José Aldo. Tudo talvez tenha sido construído para essa redenção, mas o construído aí está. As concessões e as conquistas — à base de muita negociação e também de conflitos — produziram espaços onde vidas aconteceram e agora alguns novatos fazem parecer que chegou o momento em que todos devemos ser ex-oprimidos. É isso, ou seguirmos refém dos algozes. A pergunta que lhes faço nos debates em sala de aula é: "Vamos condenar um ex-escravo nostálgico da fazenda onde ele próprio vivera seu cativeiro? Ou um outro que tratava como um parente seu ex-senhor, de quem ganhara o sobrenome?". Precisamos falar sobre eles.

Mariana

Cristiane foi embora daquele dia de conferência com saudade da irmã. Nunca se referia a ela da maneira como o fez ali. Talvez por estar em um ambiente longe de casa houvesse liberado mais a mente, e as ideias foram se sucedendo sem pressão. Talvez porque a outra não fosse saber do que ela falou. Sempre a preservara nesse tipo de evento, mesmo sabendo que a Mariana se deve — e a ela própria também, é claro — o nome do seu livro, que, além disso, tem a irmã como personagem. Andando em direção ao hotel, Cristiane embarca no delírio de ter escolhido o nome do livro justamente por intuir que havia na irmã muito mais sabedoria a respeito de tudo o que vinha aprendendo e ensinando há anos, e que apenas não conseguia ainda entender que lugar é esse a partir do qual a outra via o mundo. Por isso, a trouxe para o livro. Para entender. Ela própria não sabia o quanto o livro falava da outra. Se em algum momento partira de impressões sobre ambas a ponto de usar o nome da irmã no título, a capacidade de fazer ficção acabou lhe afastando de Mariana e aproximando-a de outras pessoas e ideias, fazendo de cada personagem um exagero de cada um dos fatos reais que sabia estarem ali. A fossa é o abismo onde vivem Marianas como sua irmã e como ela. O abismo que existe entre todos. "O abismo que nunca chega", já diria o poeta. "Onde já estão os afro-futuristas", ela gostava de acrescentar. Mariana lera o livro, sem se identificar ou se incomodar com os personagens. Para Cristiane, no fundo, a outra não gostou do que leu. Mariana era uma pessoa que gostava de livros, mas até isso seu ex-marido tinha conseguido atrapalhar.

No celular havia algumas mensagens do dia e uma ligação perdida de Mariana. A relação entre as duas tem dessas coisas. Elas são afastadas só até a segunda página do livro. A sensação de Cristiane é que sempre há algo que insiste em uni-las. No recado que deixou, Mariana comenta que esqueceu da viagem a Lyon, lamenta não terem conversado antes porque tinha dica de programa imperdível na igreja mais antiga da França, das mais antigas da Europa toda, e deixa Cristiane assustada com a notícia de que vira em um vídeo seu marido desaparecido há anos. Cristiane deixa uma mensagem na caixa do celular da irmã. Quando acorda de manhã, seu telefone já tem um áudio de Mariana dizendo não saber o que fazer com a informação de que Érico pode estar no Rio de Janeiro andando atrás de político. Cristiane é quem sempre teve fama de baiana faladeira, já Mariana era do tipo de pessoa que às vezes fala rápido e para dentro de um jeito que quase não se entende. Mas ela lhe pareceu especialmente acelerada.

Havia algo desconexo nas imagens de Érico. A postura dele, seus movimentos, não se pareciam com o Érico de antes do desaparecimento. As outras pessoas que estavam no vídeo que Mariana encaminhara não interagiam minimamente com ele. Era alguém literalmente marginal àquelas imagens. Mariana supôs que ele estivesse drogado, mas Cristiane achou até interessante. A irmã estava muito assustada. À noite, quando finalmente se falam, conta um sonho que teve onde estavam os três num contexto absurdo e pede que Cristiane jogue seus búzios para ajudá-la. A surpresa foi ainda maior do que a ressurreição de Érico depois de tanto tempo sumido.

Sua irmã havia se tornado pastora de uma igreja própria e fazia muito sucesso em condomínios de Salvador pregando, "ou seja lá o que for aquela ladainha que ela desenvolveu", para moradores e funcionários. As pessoas que já tinham visto suas pregações diziam ser muito impressionante a força da sua palavra e a exaltação do princípio feminino da vida. Mariana lhe dizia que a reunião era uma assembleia dos primeiros cristãos. Cristiane jamais presenciara um desses encontros. As duas nunca se entenderam sobre isso. Mesmo respeitando civilizadamente a decisão uma da outra, a religião foi motivo de mais afastamento entre elas. Cristiane já não gostava do marido da irmã, mas a emenda saiu pior do que o soneto. O marido sumiu e Mariana resolveu virar crente. Para ela, aquilo era caso para terapia, pura e simplesmente. Já Mariana nunca havia tocado no assunto do interesse de Cristiane pelo candomblé, mas em situações em que sua religião aparecia no convívio social, ela sentia da parte de Mariana certo constrangimento por ser irmã de uma macumbeira. Por isso o pedido desesperado deixa Cristiane totalmente sem reação. Só consegue dizer à irmã que se concentre no dia seguinte para que possam se conectar. É o jeito que tem a dar.

Ela decide pedir o jantar no quarto mesmo. A saudade tinha mudado de tom. Senta para comer na pequena mesa ao lado da janela e dali acaba vendo ao longe, por uma brecha, a universidade onde tinha passado os últimos dias. O prédio à beira-rio é imponente, com ares de palácio do governo ou de museu importante. Naquela situação, pensando em Mariana, pela primeira vez sente o peso de estar ali e da possível irrelevância de tudo que tem discutido ou mesmo do que possa ter a dizer. "Para que tudo isto?"

Cristiane sabe que muita água rolou debaixo da sua ponte. Ninguém em casa forçara ninguém a nada. Seu pai deixou a cargo de cada uma descobrir ou procurar entender de onde vinham. Antes, pensava que seria freira. E foi racista com a filha da empregada que ia brincar com as duas quando a mãe não tinha com quem deixar a menina para ir trabalhar na sua casa. Achava a menina feia com seu cabelo assanhado. E achava que gente feia casa com gente feia. E não queria casar com gente feia. Aceitava a pressão de ser boa para fugir de algo que não tinha nem nome. Nesse ponto sua irmã fora muito mais avessa ao padrão do que ela. A recusa em ser boa na escola podia muito bem ser uma forma de resistência que Mariana praticara sem saber. Ela, por sua vez, acabou se descobrindo nos livros que apareciam aqui e ali como migalhas e que levaram à consciência da negritude e sua condição no Brasil. Isso e o Carnaval. Nesse meio-tempo flertou com a política de esquerda, até que começou a achar que aquele ambiente não incluía a realidade cultural da cidade nem a força da movimentação negra. Mudou o foco do olhar e nunca mais seria a mesma.

Uma coisa aprendeu com Mariana: cada um que dê seu passo e suas topadas. Menos certezas e mais espaços para todo mundo entrar. Do jeito que quiser. Quem entrou para o clube de entendidos não deve esquecer que agora faz parte dos privilegiados, e querer que todos andem como estes é uma faca no pescoço de quem não merece. A mais do que bem-vinda nova geração de líderes pretos não deveria estar prioritariamente em uma posição de ataque, e sim na defesa dos seus potenciais liderados. Mas, acima de tudo, aproveitando a energia que vem dessa explosão. Com cacos e fagulhas. Riscos e mortos. Estavam certos os que reclamam dos brancos que desejam aproximar-se da luta sem abandonar a postura de protagonistas, mas vendo a noite passar pela janela de Lyon, não conseguia deixar de pensar nos garotos--bomba do Estado Islâmico e suas explosões nos clubes da juventude alternativa francesa, avisando que não querem amizades com artistas e jovens engajados. "A perversidade do sistema nos afasta dos vizinhos. Produz o capitão do mato e o torna vilão, em vez do dono do engenho." Indivíduos podem obter algum status, mas isso não negaria a violência constituída que todo o negrume sofre, com demonstrações à vontade nas favelas, nos presídios e nas portas de banco.

Érico

"Você não vai acreditar nessa. Se não fosse uma coisa sempre tão viva na memória, eu mesmo era capaz de duvidar de mim. Era tempo do Orkut e, por causa do trabalho, tinha ficado próximo de um cidadão que falava o tempo todo sobre código aberto em programas de computador. Fiquei interessado naquilo. Sempre fui uma pessoa de interesses variados. Um pouco antes tinha proposto a esse mesmo sujeito fazermos um video game em que o personagem principal era MC Macumba, um DJ que teria que fazer uma carreira enchendo pistas na periferia até virar o maior do país — esse aí não foi adiante. Por mim não tem problema, gosto de jogar ideia fora. [...] Quando ele veio com essa conversa de código aberto, Linux, software livre, veio o lampejo de criar uma comunidade onde as pessoas falassem sobre o que estava passando pela cabeça delas naquele dia. Sei lá por quê, me vi pensando numa coisa para ser dita logo cedo, de manhã. E achei esse nome forte e significativo pra comunidade. Cotidiano Open Source. [...] Acho que na realidade o nome foi o que me motivou a criar a comunidade. E a parada deu uma explodida. Foi até meio assustador. As pessoas desabafavam. Conversavam nos tópicos. Ainda hoje acho que os americanos que pouco depois inventaram a rede social que dominou a porra toda roubaram aquilo de mim. Os caras controlam tudo que está sendo dito ali. Vão filtrando. Devem ter feito isso com um monte de gente, não só comigo. Agora, imagine o que é dormir com esse tipo de pensamento. [...] Minha ideia original era mais livre, uma rede que se reunia ali na comunidade virtual e funcionava como válvula de escape para pensamentos cotidianos. Sem interesse comercial. Americano é foda, vai até o talo no que se propõe. Eu desisti quando começaram uns desabafos muito pesados. Achei que era muita psicologia pra eu dar conta e apaguei a comunidade. [...] Fui ficando mais cismado com essas coisas de internet. Mas o que mais me afeta é que eu possa ter tido uma ideia que depois atraiu a atenção de tanta gente no mundo todo. Mesmo que não tenha sido roubada pelos gringos, o que eu estava pensando era semelhante à rede social mais influente que havia por aí. Não é isso? E — te digo — isso mexe não só com minha paranoia, mexe também com minha vaidade. Se ainda existisse Orkut, ia criar uma comunidade: "O Facebook me roubou".

Foi o último vídeo. Ela e eu na ilha de edição. Estávamos há muitas horas ali e, sem que nos déssemos conta, já era tarde da noite. Assistida a diária, retomamos o debate. Deveria ter ouvido primeiro, mas saí dando opinião: "Acho que se botar ele falando isso, vai dar a impressão de que o sujeito era só um doido". Ela, para variar, discordou: "Só que a fala é meio genial e vale, no mínimo, pela possibilidade. O cara pensa que vive no futuro. Cada um fica com o que quiser do que ele disse. Estou achando boa assim, inteira, mas depois você dá uma editada nisso, se quiser, para não demorar tanto". Ela é da cidade, eu não. Ele, não sabemos. Ele, nosso personagem, o Cineasta. "Mas dessa forma vamos deixar de apontar que ele se achava meio profeta" — tento convencê-la —, "porque vai ficar sem lugar aquela conversa com os garotos que iam nos escombros da Urca oferecer comida e contam que o cara falava coisas incríveis." Ainda não foi desta vez: "Não tem problema. Nesse discurso sobre internet ele já mostra seu lado profeta".

Estávamos diante de um material bruto precioso. Um morador de rua mais excêntrico que mendigo e que se comporta como um dândi imperial. Usa cavanhaque e fraque. Gravata e bengala. Autoproclama-se um pequeno furo no casco do navio do sistema. "Ou seria um tiro de canhão?" Para ela são só aparências, "disfarces de uma pérola que saiu da lama e subiu pelos esgotos da rua do Ouvidor onde ele vivia". "Ainda tem a cena que não está encaixada no filme, da outra moradora de rua, que é importante pra gente não ficar mistificando o cara. Não quero que pareça que ele é um herói. Podemos aproveitar para usar os garotos da Urca na sequência dela. Pode ser que fique bom para contrabalançar." Ela insiste e eu seleciono os trechos para incluir no que já temos editado.

Nos conhecemos pessoalmente no início da montagem. Já tinha visto seus filmes, mas não passava pela minha cabeça que pudéssemos trabalhar juntos. Um amigo em comum, diretor com quem editara recentemente, disse a ela que eu era a pessoa com o olhar ideal para o trabalho. Achei o convite sedutor: um projeto intrigante e a oportunidade de visitar uma cidade onde tenho amigos sem ser a passeio. A experiência é ótima. Conhecer ao mesmo tempo um personagem forte e uma nova colega de ofício. Na ilha conversamos, divergimos. Os dois diante das ideias que o filme traz e às quais induz. Experimentar isso juntos nos leva à cumplicidade. Voltamos a versões mais antigas para depois desistir ou aproveitar algo delas. Organizamos um quadro com cartões de várias cores para visualizarmos melhor um possível roteiro das cenas para a montagem. Assistimos a entrevistas. Selecionamos passagens. A minha preferida era a de quando, sarcástico e saudoso, ele dizia que uma música dos Replicantes mudou sua vida pela primeira vez. Ela também gostava muito. O Cineasta ficava repetindo animado: "Os baianos me disseram que o amor tinha futuro, fui transar com uma mina que mordeu o meu pau duro".

"Mas ele não é Gentileza, nem Bispo do Rosário. O cara tinha semeado muita violência." Ela entende que esse final do trecho que acabamos de ver é bom. "É para usar tudo isso na hora em que estão criticando o Cineasta." Para mim, isso vai contra o personagem. Já passei por isso e sempre custo a entender esse surto de autodestruição que acomete alguns diretores no meio do processo. Que faz eles irem contra o próprio objeto em construção. Mas ela não está ligando para a minha opinião e pergunta pelo material de Alexandre que estava para chegar. O pesquisador-estrela-da-companhia era um viciado em bibliotecas, videotecas e discotecas à venda. Já trabalhara em muitos sebos na cidade e era fanático por futebol. Cinema era bico, dizia ele: "É que cinema tá dando muito dinheiro". Para tentar atrair sua atenção e desfazer a tensão, respondo de modo disperso com uma dissimulação que disfarçava meu próprio interesse pelas imagens: "Só chegou até agora um vídeo em que ele aparece no meio da propaganda de um prefeito. É a primeira vez que vemos ele no Rio". Ela acaba se interessando bastante por essa aparição do Cineasta como papagaio de pirata de um político.

Alexandre finalmente reaparece com uma de suas pérolas. Desta vez, encontrou no espólio de uma senhora no largo do Machado páginas de um livro: *Recado de um cativeiro*. Uma edição caseira com texto atribuído ao Cineasta. A fonte manuscrita parece indicar um traço feito com lápis 2B. É coisa sofisticada, tecnológica e meio inexplicável. As partes do livro estão incompletas, há um quebra-cabeça a ser inventado. Alexandre me pergunta se tenho um método para lidar com tanto material bruto. Falo da minha impressão sobre nunca percebermos a hora em que se aprendeu algo de forma definitiva. Muitos trabalhos atrás, ouvira de um mestre que todo filme bom tem uma cena excelente que ficou de fora do corte final. Algumas peças simplesmente não são parte do quadro. O trabalho consiste em tirar de uma pedra bruta tudo o que não é filme. Como se fosse uma escultura, um instrumento musical nas mãos de um luthier. Com o tempo, botei na cabeça a ideia de que o termo *montagem* tem a ver com o seu uso no universo do teatro. Porque ela respeita a percepção momentânea que se tem sobre um material. Percepção que pode ser sempre atualizada. O montador seria como um diretor que monta a peça de teatro à sua maneira. O mesmo texto entregue na mão de outro diretor resultaria em outro espetáculo. Ela me diz que sua visão da escultura do Cineasta passa por desvendar os laços que ele foi criando e desfazendo ao longo da vida. Alexandre lhe recorda que os herdeiros se recusam a participar do projeto. Já faz tempo que ele os encontrou e desde então vinha tentando a todo custo saber algo da relação deles com o pai. O casal de filhos mais velhos diz que qualquer menção vai resultar em processo. E a filha de um outro relacionamento diz que está pouco se lixando para o pai e não tem nada a dizer. "Ela é filha de Lídia?", pergunto. "Ainda não sei." "Não descobrimos ainda se Lídia existe fora da cabeça dele." Alexandre responde e ela complementa.

Mostramos o corte mais recente do filme para um crítico conhecido dela. Ele, inquieto na cadeira; ela, mais ainda. Com a experiência, um montador vai ganhando o condão de interpretar as pequenas reações do público convidado. Principalmente se essa sessão é na ilha, onde tem convivido com o material há muito tempo. Essas sessões são tensas: depois de meses trabalhando, sugestões despretensiosas ou meramente palpiteiras implicariam mudanças drásticas no filme. E quem as dá normalmente não tem a mínima ideia da reação em cadeia que aquela sugestão traz. Ao longo das semanas, já havíamos passado por esse momento em cabines para que outros escolhidos vissem o filme ainda em processo e àquela altura estávamos bastante convictos do que queríamos. O crítico, apesar do tom arrogante, parece encantado com o Cineasta que é revelado pelo mosaico que foi engendrado. "O filme de vocês deixa claro que é muito importante ouvir a voz dele. Essa estrutura que escolheram, em que tudo aparece como se estivesse sendo dito por ele ou para ele, está funcionando muito bem. É um monólogo que abre vozes. Soando ou dissonando. Até destoando. Eu gosto." Sentados para um café pós-sessão na cozinha do apartamento onde estou morando e trabalhando, ele tece seus comentários num dialeto conhecido e argumenta que vale pelo filme inteiro a longa sequência em que o Cineasta aparece num misto de canto e recitação enumerando de maneira desconexa passagens de sua vida. "O canto anuncia sua impressão digital, sua *ânima*. Tenho a impressão de que ali o filme alcança a radicalidade necessária. Abandona o tom conciliador que domina o restante." Não era a minha leitura do filme. Mas gosto de ouvir. Ela fica um pouco irritada. Ele fala como se o canto impusesse sobre o discurso do filme uma camada que parece anterior ao próprio entendimento que o Cineasta tem de si. Era algo que o personagem sempre trouxe, o enigma por trás da luz, a grande parte escondida do iceberg cuja ponta aparente é a trajetória que o filme mostra em todos os seus outros momentos. Pelo menos foi o que entendi a partir daquele patoá de cinéfilo. "Gostaria de ter trabalhado nesse filme que seu sentimento por essa cena faz você enxergar." Digo isso a ele só para não deixar barato, embora no final das contas ele seja um bom espectador do material que apresentamos naqueles noventa minutos. Minha frase tem o efeito de acalmá-la para continuar no papo sem entrar em crise com o que já foi feito.

Depois de um período deixando a massa do filme descansar, voltamos à montagem. Assistimos. Discutimos. Testamos. Evoluímos. Meses a mais. Cortes. Aproximações. Possibilidades tendem ao infinito, mas estamos avançando. Conseguimos estabelecer as leis do Cineasta, seus mandamentos. É o nosso fio narrativo. Para o gosto dela, é o melhor que fizemos: "Não sabemos de onde ele fala, em que tempo se situa. Ficou um cara romântico, mesmo no meio de tanto discurso sobre violência". Concordo: "O filme está ficando pronto. Já se ouviu falar desse outro lado do Cineasta, mas o romântico é novo". Ela fica empolgada: "Ele é um Quixote às avessas. O lema ficou mesmo *prefiro tocar bronha e punkar até morrer*. Replicante. E Lídia é a nossa musa. O filme está mesmo parecendo uma ficção". Aproveito a animação para liberar alguns senões. É preciso saber a hora de fazer o advogado do diabo: "Só acho que na sequência final, quando ele delira descrevendo minuciosamente as passagens de um cotidiano depois do cativeiro, a gente devia eliminar o áudio dele e ficar só com as imagens que estão bem poéticas". Isso traz ela de volta das nuvens em que dançava com seu filme: "E o off apresentando ele, botamos no começo ou no fim da primeira parte?". Comento que tive naquele instante um déjà-vu, um *déjà senti*, ouvindo ela me perguntar sobre esse off.

Dona de uma ironia profunda que tira o chão do seu alvo, ela aproveita que já desceu das nuvens para me derrubar também: "Haha. Deve ser uma falha na Matrix. Melhor você tomar logo seu remedinho azul". "Parece que os epiléticos sempre têm déjà-vu antes de uma crise", digo sem me fazer de rogado e largando meus conhecimentos. "E eu adoro a ideia de que uma coisa tão estranha possa ser corriqueira e capaz de surpreender todo mundo", ela fala com um riso nos olhos e me arrebata. Deve estar relaxada. Normalmente é mais silenciosa no trabalho: "Já li em algum lugar que os caretas têm menos chance de ter. Tem que estar disponível, de mente aberta, para acontecer". Ela me encanta. Tenho uma tendência forte a me apaixonar no trabalho quando me apaixono pelo trabalho. "É... Os caretas não têm jeito mesmo. Só não sabia que tínhamos esse interesse em comum. Adoro neurociência desde que li Oliver Sacks." Ela deve ter notado alguma inflexão na minha voz e me fulmina perguntando se acho que está de bobeira: "Rapaz, estou de olho em você há muito tempo. Ou você acha que te chamei para trabalhar comigo só por causa dos seus lindos olhos e do seu cabelo rasta bem cuidado?". E finaliza aquela nossa sessão de trabalho com um corte seco: "Mas e o off, quem a gente chama pra gravar?".

O Cineasta diz que nunca foi policial. Se na descrição dele constar vigia, vão imaginá-lo embaixo de um toldo ou em uma guarita na entrada de uma rua fechada. Coisa fuleira. Vigilância é um termo amplo. Passa pelos big brothers da vida e chega até Deus onisciente e onipotente. O Cineasta prestava serviços nessa área. Na sua carteira de trabalho poderia estar escrito detetive social. Detetive de controle e distúrbio social. Identificava problemas em potencial na área em que seus clientes estavam ou gostariam de estar. Seja para moradia, passeio ou investimento. Identificava moradores, clientes, fornecedores e concorrentes. Fazia a pré-produção da segurança, podendo se estender à manutenção. Mas sempre de olho no que poderia acontecer. Segurança preventiva. Dizia ele que, se há alguém habilitado para prestar a atenção devida a uma determinada região, esse alguém vai saber onde estão os focos de futuros problemas. De onde podem vir as sementinhas do mal. Ele entrou e prosperou neste filão. E cuidava como um bom jardineiro para que essas sementinhas não vingassem. O que oferecia era a possibilidade de não chorar sobre o sangue derramado — ou pelo menos a chance de derramar o mínimo de sangue possível. Palavras suas. Milícia, esquadrão da morte, policiais fora do serviço: tudo serviço de pé-rapado. Sua empresa trabalhava com tecnologia estatística e informação. Um serviço de meteorologia da violência. Se destacava por uma rede vasta que foi se espalhando por toda parte. A cidade ficou pequena para ele e a firma se expandiu. Um vereador que passa a deputado estadual e então a deputado federal. Chegou ao senado da vigilância. Majoritário. E nunca esqueceu de suas bases. Ao seu redor nota-se um misto de admiração, medo e nojo de sua personalidade. Alguns o viam como um coronel, outros como um caudilho, outros como um pelego. Todos como um mafioso.

O Cineasta nunca acreditou na paz. Isso não quer dizer que tenha sido um violento convicto. Apenas imaginava defender-se do mundo. E assim partiu ao ataque. Primeiro por natureza. Depois por instinto. Por brincadeira. E enfim por hábito. E por necessidade de manter os hábitos. Atingiu assim alguns pacíficos e muitos violentos.

— A briga é feia por aí, não? A serviço de alguém estamos todos?

Não se sentiu beneficiado pela violência. Apenas protegido, por agir conforme a música que esteve ouvindo. Covardia?

— Honestamente.

Lídia

Os vizinhos do setor chamaram para assistir à partida final. Ainda participo desse tipo de evento. Esporte na televisão. O cativeiro não eliminou esse prazer e me permito estar com eles. Todos reclamam muito do futebol que temos jogado e não consigo parar de analisar aquele exercício de frustrações. E como isso está sempre no limite da barbárie. De um xingar o outro. E puxar faca. E alguém morrer. E isso às vezes parece ser o mais saudável a se fazer. Já vivi desses alívios. Hoje eles não me bastam. Os vizinhos também não demonstram qualquer ímpeto agressivo. Todos estamos sob controle. Terminada a partida, o Chile vence. Eram campeões afinal. A arquibancada lotada. Ainda se assistia jogo nos estádios. Olhando para a televisão e vendo as imagens dos chilenos felizes com suas famílias, exibindo suas medalhas para seus filhos pequenos, só conseguia pensar no contrassenso entre esta individualidade livre, perfeita, e a constituição de uma família. Afetos e desafetos. Minha filha por acaso sou eu? Nós não somos eu. Singular e plural fazem a dinâmica do sofrimento. Contatos e contrastes ora aguçados, ora amortecidos para essas duas forças se manterem como centro do nosso vasto mundo cão. Sou um caso perdido, entendo. Mas ao ver as imagens bem próximas das caras dos chilenos com a taça erguida e passada de mão em mão, o que consigo imaginar é qual deles teve seus pais, avós e bisavós envolvidos em violências brutais contra outros chilenos. Quanto alguns ali participaram de execuções e foram torturadores? O que eles fizeram para manter os intrusos longe do seu lar? O indivíduo, a família, a nação. Saí dali e fui dormir bêbado de remédio.

Sou condômino dessa comunidade de párias, cercado por verde e por muros, encontro perfeito entre o céu e o outro, tal e qual deve ter sido o entendimento do estudioso católico que definiu o purgatório. Cá estou, vindo de algum apocalipse que ainda desconheço. Aqui a denúncia surda impera, a vigilância é exercida por cada um. À paisana. Vivemos sem guardas ou celas. Todos controlam-se à perfeição e, assim, viveremos bem. Aqui não há censura. Tudo está a seu dispor. As regras, contudo, devem ser subentendidas e assimiladas. Não ultrapasse os limites nem as hierarquias. Não fosse por isso, quem quisesse poderia sair. "Os limites são seus", é o que dizem. Eu sei que os tenho e a eles dou graças. Aposto que são eles que me vigiam. A doutrina quer levar você de volta a um lugar de onde você não devia ter saído. Quer te fazer escravo da mentalidade que te diz onde é seu lugar. Mas sem aplicar a fórmula básica da província: medo e consumo. Aqui é uma experiência para fazer o que nós, pós-graduados, faríamos com os habitantes na província. Os detentos têm tratamento diferenciado. E cada um deve entender o porquê e perceber o seu lugar na sociedade d'Aqui. Na maior parte da linha do tempo da nossa vida, não podemos ser honestos cada um consigo. Eu costumava ter medo e sempre fui encorajado a mantê-lo. Hoje visito meus fantasmas e sou visitado por eles.

Outro dia, vi um filme em que alguém tentava convencer seus pares a escolher ou seus próprios lucros ou abrir mão de uma fração deles para o outro que estava sendo prejudicado pela mesma fonte destes lucros. Nenhuma coisa grande: dividir ou não uma parte do pão nosso de cada dia. A agressividade evidentemente estava ali o tempo todo. Naqueles que se sentiam ameaçados pela solidariedade. Naqueles que se sentiam compelidos à solidariedade. Vinte pessoas deviam decidir e, por pequena maioria, depois de muitos encontros entre a vítima e cada um de seus algozes, o individual venceu a solidariedade. Mas a heroína que perdeu, a prejudicada, já vislumbrou uma pequena vitória apenas por ter podido falar a respeito daquilo. Malicioso, o filme. Mais otimista do que eu, que fui pago para suspeitar.

Gosto de encontrar com a atendente da locadora que fica no andar de cima da loja de conveniência. O lugar vive às moscas e nossa conversa flui à vontade. Ela me fala dos remédios que está tomando e dos efeitos que fazem no movimento de seus braços e de suas pernas. Eu finjo surpresa para ela se sentir inteligente e depois posso demonstrar todo meu conhecimento sobre drogas, venenos, remédios. Ela não é d'Aqui, vive na província. Vem para cá a trabalho. Faço o convite para que fique depois do serviço e passeie comigo uma noite dessas. Ela diz que vai tentar. Suas frases repetidamente soam para mim como se pudessem estar no meu caderno. E, assim, entro ainda mais em sintonia com ela. Parece que tudo que diz sai de dentro de mim e sou eu. A minha cabeça só fala e ouve violência o tempo todo. Porque sou a violência e ouço da atendente ecos disso. Perto dela isso me faz feliz e em paz comigo, como há muito não ficava.

"Para se tornar um bom detetive social, a primeira coisa é estar atento aos seus preconceitos. Não se pode ter pudor dos preconceitos. Eles só vão te ajudar na missão. Não adianta sentir arrependimento por ter achado que um moleque preto era ladrão, só porque depois você viu que ele não era. Não pode é partir para a ignorância da agressão. Uma coisa é preconceito, outra é ignorância. O detetive social só observa, anota. Depois, à medida que vai percebendo a rotina do lugar, os preconceitos vão se mostrando mais certos ou mais errados.

A experiência vai fazer com que você perceba que muito dificilmente a primeira impressão que tiver de uma pessoa vai estar errada. As pessoas são em geral muito pouco surpreendentes" — assim eu começava minha palestra e todos ficavam atentos na sala. Lídia me ouve, achando bizarro.

Volto sempre à locadora para encontrá-la. Sempre com a desculpa de perguntar sobre filmes, se ela os conhece, o que acha deles, e vamos desenvolvendo uma intimidade. Trocando gostos e impressões. Ela realmente gosta de ver filmes, adora falar sobre eles, e eu descobri em mim esse gosto também. Sinto alguma empolgação depois de tanto tempo sem ter prazer ao lado de outra pessoa. Com Lídia voltei também a ter a sensação antiga de ser um cego emocional que só consegue participar do mundo se for guiado por alguém. Resistia a essa muleta por ser uma armadilha de onde já havia saído muito arranhado. Mas decidi que talvez seja assim mesmo que consigo encarar o mundo. E deixo minha solidão de lado por um tempo. Sinto com ela uma cumplicidade que me deixa bastante livre para falar mais abertamente. Não tenho nenhuma desconfiança dela e isso me deixa autoconfiante. Há um local aonde poderíamos ir, mas não quero que isto vire uma questão e que me proíbam de encontrá-la como forma de punir ou dar recompensas. Não quero nada destes que mandam Aqui. Sejam eles quem forem. Meu cativeiro me pertence. Ela também não parece se importar e ao final rola um prazer em não fazermos sexo. Futebolzinho bem jogado e sem maiores consequências. Só para suar um pouco. Faz toda a diferença.

Indico livros, mas ela não tem muito interesse. "Sou da galera do audiovisual", ela me diz. Um dia comenta que gostou muito da história do policial cubano que eu tinha mencionado, porque ficava toda hora lendo aqueles passeios por Cuba e imaginando um filme. "Sou doido por literatura policial", digo animado. "O que para na minha frente, leio em uma sentada ou duas. Sem exagero." Conto a ela que ler as aventuras do policial cubano me fazia ter muita vontade de ir a Cuba, algo que nunca tinha tido antes por achar que só ia encontrar por lá decadência comunista. Só que os livros mostravam uma vida em Havana que me remetia a coisas das quais eu gostava na província. Uma podreira complexa e bem vivida. Indico outros livros policiais, mas ela nunca mais toca no assunto.

Não há nada no nosso encontro que seja grandioso ou épico ou mirabolantemente apaixonado, mas ele faz todo o sentido. Fico feliz que seja assim. Paquerar Lídia é como andar na rua, olhar uma pessoa qualquer e resolver segui-la. Acompanhar alguns momentos de sua vida, por pura curiosidade, e assim chegar a algum lugar que você tinha que conhecer — e que, provavelmente, não fará nenhuma diferença na vida de quem te levou até ele. Um guia cego.

Lídia não me conta muito, mas sei que só conheço de sua vida a ponta do iceberg. Falta não a sua biografia — essa vou conhecendo pouco a pouco —, mas as emoções, os porres, as figurinhas difíceis que completam seu álbum. Vejo nos seus olhos que há segredos, e não me interessa vasculhá-los. Não me aventuro a ser um cavaleiro que entra na vida de sua donzela para defendê-la das maldades do mundo. Esse romantismo não me cabe. Virgindade é defeito e não quero andar no labirinto que leva à vida de Lídia antes de nos conhecermos por Aqui. Na locadora do andar de cima. Percebo que suas tristezas são feitas de alegrias e de saudades, nada substitui o que já aconteceu: acúmulos de prazer, raiva e rancor. Feras feridas no corpo, na alma e no coração, diria Roberto. "Sem neurose", ela me diz. Prefiro seguir assim com ela. Fico contente em ver que ela, ainda jovem, já tem alguns calos que a vida normalmente teima em dar. E sabendo que nós, andando juntos Aqui, devemos comungar apenas disto: das pontas dos icebergs. Sem neuroses ou desconfianças.

Não sinto raiva por terem me colocado Aqui. Procuro refazer o percurso que me trouxe para cá, mas ainda não tenho todas as peças do quebra-cabeça. Tenho sido bastante disciplinado no uso do tempo. Não posso ficar sempre no caderno. Em minha rotina, cada hora é meticulosamente tratada para que o cotidiano seja animador. Tomei gosto por escolher bem as palavras, apropriar-me delas, e essa atenção aos gestos do dia a dia combina com isso. Aqui não há escola, curso doutrinário ou qualquer coisa do gênero. Só a exposição ao mundo feliz e ao desastre pessoal. Prisão-laboratório para formação ou reformatação de psicopatas sociais a serem reinseridos na sociedade como mantenedores do caos vigente. É o que penso. O público-alvo é gente como eu, que já militava na área. Uma gente insuspeita. Talvez tenhamos dado passos maiores que as pernas. Isso Aqui é uma simulação de parque temático concebido por Tim Burton. Ou cercadinho do tipo que aparece em *A Vila*, do indiano de Hollywood. Somos todos Trumans desse show de realidade paraviolenta, vivendo em contexto radical a clássica situação de classe média a dois passos do paraíso que alimenta os sonhos de felicidade pela estrada do mundo afora. Para que estamos Aqui? Não tenho certeza se o objetivo final é a reinserção ou se estamos em prisão perpétua. Não sei se os que somem de vez em quando eram reais que foram eliminados, ou reabsorvidos, ou se também eram desejos sinceros da minha imaginação. Se houver a reinserção, será que todos deverão cumprir a mesma função? Será que todo mundo precisa voltar à sua condição anterior? Isto aqui é uma usina de reciclagem de criminosos. Vivo a maior parte do tempo entre os meus fantasmas do cotidiano. Fantasmas se conhecem, e com eles jogo várias partidas de xadrez simultâneas. Uso as jogadas que um lança contra mim no jogo contra o outro. Li isso num romance de Sidney Sheldon, agora não me vem o nome. Nenhum trauma isolado me fez entrar e nenhum trauma isolado me fez sair do comando do circuito da violência nacional. E isso deve dificultar a tarefa deles de me recuperar, se for este o objetivo.

Por Aqui, eles ainda fingem que me tratam bem. Ainda devo valer algum investimento. Sei que esta tortura é para me fazer retornar ao meu estado anterior. Eu cometi o crime de perder o tesão pelo crime. Esta é minha história. Penso sempre em quantas coisas foram inventadas enquanto a pessoa estava nessa situação em que me encontro. Exilado. Cortado do bolo do mundo. Alguém devia fazer este levantamento. Acho que todo mundo que criou algo relevante estava se sentindo à margem da ordem instalada. Acima ou abaixo, mas nunca ao lado dos outros. É preciso ter sido jogado fora para reagir com veemência ao açoite. Zumbis que vagam fora do padrão. Fogem do que seria a submissão e a eliminação e, então, elevam a mente a um local bem afastado do que seu opressor deseja. Pois cada homem já vem com seu homem-lobo pronto para o engolir. Conceito reverso de cara-metade. A vantagem do cativeiro é que não há nenhum véu separando você do seu opressor. Fica claro que sua natureza representa uma ameaça a quem te oprime e quer se livrar do problema que você representa. Talvez, na verdade, quem te oprime quisesse alimentar o problema que você representa, para alimentar a discórdia. Só que nessa situação explicitada aqui, o desejo de liberdade aumenta. E a liberdade é possível que seja parente próxima da vontade de criar.

Nós da província somos pós-doutorados em preconceito, especialistas em tipos suspeitos. Como a aparência não distingue exatamente uma pessoa da outra — tem gente de tudo quanto é jeito —, o que resta é afinar a visão. Todos sabem o valor de um passaporte da província porque qualquer um no mundo pode ter nascido aí. E todo mundo guarda o seu bem guardado, esperando a hora de ir embora. Então, como o fenótipo não ajuda sozinho, nossos preconceitos são aperfeiçoados desde criança pequena. E com dezesseis anos já podemos ser doutores em preconceito, especializados em arquétipos sociais. Se você sabe usar isso, já pode se profissionalizar e ingressar para o nosso time de detetives.

"Há verdade nisso que lhes dizia?", pergunto. Ela faz gesto de concordar sem dar muita importância. "Se for olhar as estatísticas de minha empresa, vão ver que a minha taxa de letalidade era menor até que a da polícia." "Você era miliciano?" "Não. Vigilância de proximidade. Esquadrinhando o cotidiano continuamente, isolando o rotineiro do extraordinário, num entendimento do trivial direcionado para a vigilância. Basta ter atenção com o cenário e com os atores. Se você estiver atento, vai perceber que um ator é quase sempre coerente com seu personagem. Num determinado cenário, sua encenação tende a se repetir. Repetições de uma mesma ideia. E você está ali para que não ocorram mudanças bruscas neste script." Ela ri muito e fala assim, rindo: "Você está querendo virar cineasta?". Eu rio também e continuo, alegre e empolgado: "Segurança preventiva. Meu constante aperfeiçoamento dessa técnica que inventei foi se sofisticando e adquirindo ares que — hoje percebo — eram um desenvolvimento de alguma natureza de arte". Ela se interessa e ficamos conversando sobre isso até a hora de ela ir embora.

O percurso do acaso que nos pega no meio do caminho. Todo artista é um vigia da sociedade?

E foi desse dia que veio o apelido...

Cristiane

Fossa das Marianas passou de livro a podcast, onde se incluem novas histórias que passam a fazer parte de um mesmo arquipélago. Me encanta a ideia de as narrativas, além de lidas, serem também ouvidas. A história de Crispiniano, porém, não está nem no livro, nem no podcast. É uma grande ausência porque foi o ponto zero, de onde parti antes mesmo de trazer minha irmã e a mim mesma para o enredo da *Fossa*. Crispiniano é o irmão do quilombola Crispim que está no capítulo de Josi. Os dois são os gêmeos ancestrais. Fundamento da casa. Prefiro sempre dizer que Crispiniano é — e não que seria. Ele apenas ainda não teve contada a sua aventura, que se passa na atual Baixa dos Sapateiros. Um morador do centro histórico de Salvador na passagem do século XIX para o XX. Um personagem que acabou ficando de fora da narrativa de Josi e sua família, mas que algum dia aparecerá numa história narrada por ele mesmo ou por Crispim. Talvez esteja num podcast futuro, talvez exista numa narrativa maior. Esse é o desejo. Mas pode ser que ele só exista nos casos que conto aqui e ali sobre ele. E talvez, assim, se torne uma lenda.

Sou prolixa e faço esse arrodeio todo antes de comentar a fala da companheira de mesa que trouxe para o debate alguns bons motivos para Ivan estar em Lyon como um estudante de ciências da computação e que deixou no ar o questionamento sobre sua namorada representar um duplo dele. Os dois, Ivan e Lucia, são, evidentemente, mais duas ilhas Marianas. Uma defronte da outra. E estando entre elas, à deriva, naquele labirinto de beleza e medo no meio do oceano, não se sabe quem é quem. No episódio de Lucia no podcast, ela vai ao encontro de Ivan e da narradora no fim da tarde. A narradora percebe que tinha suposto, pela fala de Ivan, que Lucia era branca só por ele chamá-la de francesa. Este é um desafio da escrita: fazer o leitor se esforçar para perceber pela linguagem que tipo de corpo é aquele que fala. Me interessa esse diálogo provocativo com o leitor. De modo a surpreender e, eventualmente, decepcioná-lo diante das suas próprias percepções fundadas nas características da língua. Entretanto, não sei se para audiências francesas o namoro de um brasileiro negro com uma "francesa" — a palavra dita assim de maneira genérica — caracteriza por si só a cor dessa mulher como eu pretendi. Ao mesmo tempo, o ponto central no encontro entre as histórias é que os dois estão mais interessados no que está adiante deles. Uma apreensão de futuro da humanidade que parte de uma perspectiva em que a periferia está na vanguarda. Eles são ilhéus marianos que estão em Lyon anunciando a boa nova de que sua praia é logo ali, tem mar aberto, e que lá no fundo dá pé, mas há de se ter coragem para ultrapassar a rebentação.

Saí outro dia com alguns colegas para conhecer Lyon. É uma cidade linda e orgulhosa de si. Estive na catedral de João Batista, na basílica de Notre Dame. Impressiona a maneira como o gosto pelos hábitos dos antigos é palpável e acaba cercando muito do que importa aqui no velho mundo. No Brasil, dizem que a gente só ganha intimidade e solta a língua depois de uns três chopes e um tira-gosto juntos. Deve ser igual em todo lugar. No meio da noite, com todos já relaxados, me perguntaram: "Cristiane, você pensa que deveria existir um jornalismo negro ou uma pedagogia negra?".

Acho que foi por eu ter citado Augusta na minha última fala. Não sei se entendi bem a pergunta e na hora a conversa não avançou. Mas o que posso dizer agora, nesta nossa conferência, é que são muitas as diásporas. São muitas as histórias a serem contadas. Do meu ponto de vista, adquiri o direito de falar o que penso sem me preocupar por isso com a minha cor. Nem com a cor do meu interlocutor. Notem que essa frase pode ser uma completa besteira, típica filosofia de botequim na madrugada, e alguém mais aguçado do que eu para a questão vai chegar aqui e destruir meu argumento. Agora, a pergunta: qual a chance dessa pessoa ser branca? Sendo branca, que possibilidade o debate tem de não ser contaminado pela diferença racial? E isso seria um problema maior se não tivéssemos negros aqui presentes. Um possível erro seria fatal para mim. Então, os negros estão na universidade brasileira para discutir isso também. Não para interditar o debate, mas para expandir as suas possibilidades. Porque ser branco é uma ideologia. O discurso racial tem patente branca. Assim como a convivência nessas bases. Ao negro cabe desmontá-lo. Mostrando-o como causa, mas antes de tudo como consequência. Desracializando seus alicerces. E isso não é fácil. Por que um fotógrafo negro sai de casa ouvindo uma lista de músicas com toques de candomblé, ou um podcast como o meu que trata de negritude, e quando ele chega no estúdio onde trabalha não se depara com nada que se pareça com aquilo a não ser a repetição da exclusão? Há um único estatuto vindo de cima para baixo. No recesso do seu lar, o Brasil é mais brasileiro, racista e conservador. Com uma capacidade de resistência impressionante ao famoso amálgama que a vida pública brasileira ofereceria aos seus sentidos. E a presença, a resistência histórica dos pretos, aponta o dedo para essa ferida interna. Para a saleta de estar da alma brasileira. É um país inseguro, onde se está sempre fazendo conta de cabeça para escolher possíveis suspeitos. A cada *crush* um novo preconceito.

Onde fica afinal o mundo negro ao qual os blocos afro se referem? O que acontece por lá? É estarrecedor que a curiosidade média a esse respeito no Brasil seja mórbida, levando em conta quase sempre a notícia da violência em que vivem essas comunidades que são o mundo negro diante dos nossos olhos. Faria mais uma pergunta: Pedro é um advogado negro? Não sei dizer. A princípio não importa. Claro que Pedro é um personagem complementar a Bujega, o playboy. As duas histórias formam mais um par no jogo de reflexos que caracteriza o livro. Então, nesse sentido, dizer que a cor da pele de Pedro não importa é uma provocação que o próprio enredo incorpora. A trama toda se dá num cenário engravatado. Ele circula com desenvoltura pelo centro da cidade, seja no arquivo público, seja em meio a fóruns, juízes e audiências. Não há nenhuma rubrica que aponte a cor da pele dele. Mas, quando a história anuncia que uma causa que ele está defendendo envolve a discriminação de uma pessoa e ambienta o escritório dele próximo ao subúrbio onde tudo aconteceu — um local com o qual ele demonstra intimidade —, leitores brasileiros possivelmente vestirão em Pedro um pele negra, mestiça. Pedro torna-se negro. O que, para além da questão da representatividade, traz de volta a pergunta dos colegas na mesa do bar e me leva a pensar que precisamos nos questionar: por que não vemos jornalistas e advogados negros advogando com frequência por causas em que a questão racial é evidente, em que o furo jornalístico racial é evidente? Eu diria que é porque não é para isso que eles estão ali nos seus empregos. Porque essa pauta não interessa, essa causa não interessa. Assim funciona o aparato racial brasileiro. Não dando ouvidos, silenciando e negando o direito à voz antes que qualquer outro direito possa surgir.

Falta de informação às vezes tortura. É um vazio onde a imaginação e o conhecimento não prosperam facilmente. No nem tão distante século XIX, quando o regime escravocrata era intensamente questionado, interna e externamente, e assim desenvolvia as características próprias de sua versão brasileira, havia no Brasil mais negros e pardos livres do que brancos. Como se deu esse processo? Havia solidariedade entre os não brancos? Temos alguma indicação da quantidade de alforrias compradas durante os anos de escravidão e o destino desses pretos? Devem ter prosperado ou falido. Comprado seus escravos ou voltado a ser escravizados. Andavam eles com seus documentos de alforria à mão como uma carteira de trabalho para não serem confundidos com bandidos, com escravos? Podemos imaginar à vontade. Precisamos contar todas essas histórias. Crispiniano sonhava em ser sapateiro como o santo que lhe deu nome. Seu irmão Crispim, além de bom rezador, era barbeiro de ofício. Seu enredo é de ficção, mas é verossímil. E tenho o pensamento de que tudo que é verossímil aconteceu, e de que o inverossímil acontece. Minha escrita passeia por aí. Entre o cultural e o mágico.

Jorge entra com uma namorada em um restaurante em Ipanema num primeiro de janeiro qualquer e recebe um cardápio em inglês. Jorge é mais um como Ivan. Só que ele está no Brasil. E no Brasil pode ser bem estranho um negro sentar-se num restaurante chique de um bairro de classe alta, usando uma roupa descolada, indo tomar um café da manhã no dia seguinte à virada de ano. Esse é um hábito para brancos brasileiros. Então ele não será um negro local, mas um turista que passou o réveillon na praia onde as pessoas se reúnem para comemorar a passagem do ano. Logo, ele recebe do garçom um cardápio em inglês. São exercícios lógicos feitos diariamente em toda parte no meu país. Quando ele faz uma expressão severa e devolve o cardápio falando português, o garçom não acusa nenhum golpe. Simplesmente pega o cardápio, com um pequeno sorriso no rosto, e diz que se enganou. Será que esse sorriso indica que ele percebeu todo o jogo que se deu entre ele entregar o cardápio e Jorge devolvê-lo? Não sei dizer.

Afinal de contas, ele não é racista. Não somos. Essa é a ironia do sorriso. E acaba assim: com o garçom, depois de entregar o cardápio em português, saindo de perto da mesa e a vida seguindo normal.

Não havia uma lei que dissesse que Jorge não podia entrar naquele restaurante simplesmente porque não foi necessário que houvesse. O modelo racista brasileiro funcionava bem demais para precisar dessa lei. Ao invés do *separate but equal* que vigorou nos Estados Unidos — e que resultou em algo mais *separate* do que *equal* —, no desregrado Brasil vigoraria um *together but unequal*. Próximos, porém desiguais. Essa é a raiz do racismo brasileiro. Numa imagem aérea, as cordas que separam os foliões no Carnaval da Bahia. Numa ilustração, a comemoração do feriado do Dia da Consciência Negra em uma praia no Rio de Janeiro, onde os negros trabalham e os brancos se divertem. Uma perversidade que faz com que quanto mais *together* você esteja, mais você reforça o *unequal*, uma vez que você não se identifica ou não quer se identificar com quem está por baixo. Sempre tivemos, no Brasil, a divisão dos negros em facções. Uma rivalidade estimulada pelo próprio consórcio que cuidava dos negócios da escravidão. Ao mesmo tempo, o risco de sofrer violência ao ser identificado com o negro amedronta se você está — ou se vê como — incluído na sociedade, visto que a forma de tratar com a negritude é a da violência e da exclusão. Sendo assim, não se trata de dizer que o racismo brasileiro é igual ou diferente do americano. Minha experiência me avisa que o racismo pode não ser igual nem a ele mesmo num momento anterior. Sua capacidade de ir se moldando para continuar excluindo é notável. Por isso temos que estar sempre atentos às variações e mutações dessa antiga doença que nos agride há tanto tempo. Mostrá-la para forçar o debate a seu respeito e para combatê-la. Sempre.

Cristiane

Aquela semana em Lyon fazia parte de um evento que trouxera muitos brasileiros à cidade. Era uma feira cultural centrada na questão da negritude nas nações de língua portuguesa. O orgulho de estar ali criava um clima de vaidade e pertencimento que Cristiane já havia experimentado na primeira vez que saíra no Ilê Aiyê, seu bloco de Carnaval preferido. Uma irradiação de luz da qual não se esquecia. Passear pela cidade significava cruzar com uma concentração de beleza negra brasileira digna de uma festa do Ilê Aiyê. Isso misturado com moçambicanos, cabo-verdianos, angolanos e são-tomenses que eram de alguma maneira seus ancestrais, embora não fossem fruto da diáspora. Naqueles dias ela compreendera que havia ali membros da diáspora que eram herdeiros culturais mais explícitos desses africanos do que ela, e que agora viviam nas capitais da Europa, principalmente em Lisboa. Mais explícito ainda por ser o Brasil um país-ilha isolado desses países irmãos que aparentam ser filhos de outro casamento de um mesmo pai. Havia, entre todos eles, Portugal incluído, uma cumplicidade que não se alcança no Brasil. Os brasileiros estavam de fora desse jogo.

Não era sem crise a sua percepção do que ia acontecendo naqueles dias em Lyon. Cristiane se debatia com a possibilidade daquilo tudo descambar para um parque temático, uma vitrine de típicos negros brasileiros representando o papel de negros brasileiros. "A pessoa faz um teatro de si mesma.

Parece que se está representando, só que essa falsidade se dá sobre uma base totalmente real. O mito alimenta e costura as posturas e as relações." Em Lyon, esse teatro do negro se misturava aos brasileiros residentes, sedentos por matar a saudade e expor sua maledicência sobre a porcaria do país em que nasceram e cresceram, mas não prosperaram. "Para completar a cena só faltavam os brasileiros turistas, os sem noção que mal conseguiam sair das próprias casinhas." Não cruzara com muitos, mas os que deram as caras eram patéticos como sempre.

Na última noite houve um show do Olodum. Ela nunca os tinha visto tocar fora de Salvador e, mais do que isso, fora do Brasil. Não se interessava pelos gringos que iam a Salvador ao encontro do Olodum depois da explosão com Paul Simon e o reconhecimento com Michael Jackson. Ela se arrependia disso, mas naquele momento teve mais certeza do quanto perdera não participando da embaixada baiana que o Olodum encarnava nos carnavais dos anos 1990. Ver aquela encenação de baianidade num palco a céu aberto no lindo campus da universidade transformado em festa de largo, o que a olhos enganados poderia soar farsesco disparou nela um êxtase de representação que era como a sua saída no Carnaval no Ilê ampliada em escala planetária. Cristiane sentiu cair, de maneira definitiva, a ficha de que a cultura também se apropria das pessoas. Aquelas palavras, aquele som espalhado na Europa soando no ouvido de africanos, de brasileiros negros, de franceses atentos àquele protagonismo, diziam muito a respeito dela e de tudo a que almejava como repartição de felicidade. Veio à sua mente um espetáculo teatral antigo que satirizava aquelas palavras, a poesia que vinha das canções dos crioulos baianos. E na sequência, o surgimento do termo axé *music* de forma pejorativa — o que não era o caso da peça de teatro, que já trazia em sua crítica uma reverência ao fenômeno. Cantando e dançando, Cristiane foi absorvendo a maneira como o axé *behaviour*, que era anterior à axé *music*, se espalhava através da última, fazendo com que o feitiço virasse contra o feiticeiro e o termo avançasse em manifesto mundo afora. Ela teve ganas de gritar que Olodum não era axé *music*, mas é. O discurso mitológico do Olodum que viria, na forma de dilúvio, despertar e exterminar sequelas racistas e trazer um ideário de amor e paz. Um verso de poesia russa levando à citação da suíte dos pescadores de Dorival Caymmi, fazendo ecoar nos seus ouvidos — treinados por um namorado antigo que sabia tudo de MPB — o "Alguém cantando longe daqui", de Caetano Veloso. O canto do povo de um lugar que era dela e que não se rendia. E lhe causava calafrios de medo a mera possibilidade de vitória diante de tudo que a levou até aquele instante. Só que a forma contagiante como os tambores e a ala de canto anunciavam a mensagem não permitia a construção de qualquer pensamento que trouxesse futuros cenários neuróticos. O que havia era dilúvio mesmo. Nuvem negra, catástrofe, queda, o apocalipse que redimiria todos ali presentes e capazes de assimilar a mensagem e abrir o coração para a chegada do reino do axé trazido pelo navio negreiro do Olodum que assombrava os mares agitados do Atlântico e aportava naquele instante num porto sem mar no sudeste da França.

Cristiane se sentiu fazendo parte de uma diáspora que retornava. Estavam ali manifestados de volta. Ela era o objeto dos seus próprios estudos. Era tudo o que queria. Ela ficou com a língua solta e os amigos de viagem que estavam ali naquela hora participaram do seu transe: "Imaginem se tivesse o Muzenza para causar confusão aqui. Meu coração ia mudar de cor. Dizem que estamos tentando imitar os americanos, mas que não dá porque o Brasil é diferente. O Ilê Aiyê se inspirou no *black is beautiful* e foi acusado de racismo reverso. Para mim, *Ó paí, ó* tem mais de *Faça a coisa certa* do que de Jorge Amado. E por isso não são cultura brasileira? [...] Mas em *Ó paí, ó* ninguém quebra nada, ninguém queima nada depois que as crianças morrem assassinadas pelo policial contratado para trabalhar fora do horário de serviço pela sociedade de bem. Era para ter quebrado? Ou não? Malcolm diria que autodefesa é inteligência. Emicida rima humilde com revide. O Olodum protesta. O Olodum prefere ser uma força da natureza. Filhos do sol [...]. E, no filme de Spike Lee, o coreano sagaz da loja em frente à pizzaria italiana em chamas é quem diz que ele também é negro e parece convencer a multidão, já que ninguém quebra a loja dele".

Depois do show, conversando numa mesa de um bar de comida moçambicana, Cristiane ouviu de uma escritora um relato do silêncio histórico a respeito do preconceito racial em Portugal. Ela lhe contou que houve apartheid em colônias portuguesas. Em Angola, havia ônibus distintos e com a especialidade portuguesa do funil que permitia que alguns passassem: os assimilados. Preço a pagar: a perda da identidade e a entrada para o mundo do dinheiro. Assalariados. A classe média negra que não se olha no espelho. De assimilado para querer virar branco era um pulo. E os que não eram assimilados eram indígenas.

Nos seus últimos momentos em Lyon, rascunhou ali, no bar mesmo, um próximo texto em que falaria sobre Marcelo, um primo de Elisa, ogã do terreiro dela e percussionista de banda afro que, depois de viajar muito com a banda, acaba indo morar na Coreia a convite de um artista pop de lá e leva a vida fazendo shows e tocando em eventos de música brasileira, sendo maestro de uma escola de samba coreana e dando aulas de percussão brasileira para coreanos fanáticos pela música do Brasil que, se dizendo negros, usam tranças, black power e não se importam em pedir desculpas quando são acusados de apropriação cultural.

Cristiane só conseguiu jogar para sua irmã no último dia da viagem, depois de voltar para o hotel. Ficou intrigada com a ideia de Mariana saber que ela carregava os búzios sempre consigo. O Odu que apareceu no búzio dizia que o passado não voltava com as mesmas águas da outra vez. O rio estava cheio e para atravessá-lo era preciso atenção. Falava de construir uma casa. Falava de estrada. Tinha coisa de egun envolvido e Mariana ia ter que cuidar do orixá dela. Será que ela estaria disposta a encarar esse chamado? Como fora Mariana quem a procurara, achava que isso queria dizer que sim. Pelo menos era o que os búzios estavam dizendo. Só que essa já não era mais uma conversa para se ter ao telefone. Chegando em Salvador tinha que chamar Mariana para comer um dendê na sua casa para as duas afinarem essa história.

Mariana

Devia passar das cinco da tarde e eu, exausta, sonhava em chegar em casa. Era sempre assim. Trabalhar com público cansa. Todo mundo sempre cheio de razão, atribuindo a si a autoridade de quem está pagando. Antes de sair, era preciso alinhar a estratégia do mês com meu gerente. A maré estava boa. Minhas vendas cresciam de maneira consistente — já supervisionava inclusive os outros vendedores — e, assim, tudo ia ficando melhor. As contas pagas em dia, a ansiedade diminuindo. O casamento e sua rotina abafada respiram aliviados.

Não que fosse infeliz casada. Acontece que o passar dos anos faz as picuinhas ganharem corpo. O marido não se conformando com a ajuda mandada para parentes meus, independentemente da situação do saldo no banco. Já fazia tempo que as brigas partiam daí, se espalhando para outros aspectos da nossa convivência, deixando qualquer carinho absolutamente isolado num buraco negro de ressentimentos. Para Érico, eu tinha manias de pobre. Essas agressões quase sempre cabiam na conta da paciência, mas se vêm num dia ruim, eu deixo a briga entrar. Começava por alegar que eu realmente fora pobre — embora no meu entender nunca tenha sido — e que já era cheia dessas manias quando nos casamos.

Pobre ou rica, minha carreira nada tinha de promissora, nem jamais teve. Minha única vantagem seria ter feito o primeiro e parte do segundo grau em escola particular. Mas não sendo exatamente uma aluna modelo, fui mudando de escola depois que perceberam que estudar não era comigo. Cada mudança me levava para lugares onde o esforço para passar de ano era menor e, concluída essa etapa do ensino básico, estudei e me graduei em administração de empresas numa universidade de qualidade proporcional ao meu esforço anterior. Encerrada a faculdade, percebi rápido que o mundo dos adultos era bem maior do que o conforto que a vantagem inicial me dera.

Foi nessa época que conheci Evandro Américo — que já saiu da maternidade sendo chamado pelo apelido de Érico —, com quem casei logo depois de formada. Fomos morar em um apartamento alugado pelos pais dele e depois entramos na prestação de um outro apartamento ainda na planta — que três anos depois se tornaria minha casa. Tivemos calma o suficiente para dar este primeiro imóvel já quitado como entrada do financiamento para comprar este onde até hoje vivo. No meio-tempo, engravidei e tive meus dois filhos. Um menino e uma menina. Andressa, a caçula, era totalmente grudada no pai. Matias, o mais velho, ganhou esse nome porque vi que tinha origem bíblica num desses livros de dicas para nomes de bebês.

Sem que nada fosse explícito, fiquei responsável pelo cuidado com a casa, enquanto o marido corria atrás do dinheiro. Afinal, o dinheiro que eu ganhava era menor do que o gasto com empregada, direitos trabalhistas, creche etc. Sendo assim, permaneci do lar. Depois os meninos foram crescendo, entraram na escola, pude procurar emprego e ajudar nas despesas.

Minha formação já era bem mixuruca e, passado o tempo, o que sobra para mim nem se aproxima de administrar o que quer que seja. Fui vendedora de loja, representante comercial, assistente parlamentar de um parente de um amigo de Érico — metade do meu salário ia para o bolso desse amigo —, cursos online disso e daquilo, novamente vendedora de planos de saúde ou planos de telefone celular. Até que fui parar na concessionária de automóveis.

Os dias eram daqueles em que parece que o tempo anda para trás. O sol fazendo força para entrar pelas vidraças enormes e o ar-condicionado trabalhando à toda para nos livrar da pressão imposta pela quentura vigente na avenida Manoel Dias da Silva, onde fica a concessionária Dois Irmãos. Àquela hora da tarde, para completar a modorra, não se fecha negócio algum. As pessoas normalmente compram carro no período da manhã. Depois do almoço o cliente costuma aparecer sondando preços, ainda temeroso. O vendedor-matador tem que amansar a presa nesse primeiro momento, deixando o negócio já encaminhado para o abate na próxima visita. Um automóvel é quase um filho novo e todo mundo gosta que isto seja o primeiro ato de um dia especial: o dia de trocar de carro. Quando se trata de usados e seminovos, a instrução é só negociar caso o cliente aceite trocá-lo por outro disponível na loja, e a conversa deve ser conduzida até que a troca renda lucro nas duas pontas. O carro do cliente deve ser comprado por um preço que permita um lucro na futura revenda e o carro que lhe é vendido deve ter sua margem de lucro. Este é o negócio. Bom vendedor é aquele que vende para quem não quer nem precisa comprar. Evidentemente, o senhor que entra na loja não sabe nada disso. Ele quer apenas vender o seu carro. E gosta muito de conversar. Relata em detalhes a compra daquele veículo que trazia para avaliação. Conta como sua mulher gostava de passear com ele de carro e costumavam viajar com a família pelo interior do estado, seus filhos criados no banco de trás viajando por aí e agora cada um em um canto, todo mundo casado e distante. "Dizem que a gente cria os filhos para o mundo, mas eles esquecem que a gente faz parte deste mundo também. O que eu sei é que quem sai aos seus não degenera. Meus filhos todos parecem que foram criados numa chocadeira. A mulher diz que é isso mesmo, mas sei que ela morre por dentro." Dou corda para o cliente de tal modo que até conhecidos em comum encontramos. Primos de primos, amigos vizinhos de cidades do interior, sei lá o que mais; me perdi no meio de tantos nomes e lugares e datas. Com o homem já embalado pra presente, me aproveito desse emocional uterino para dizer que, embora não fosse mais uma necessidade para ele, um carro como aquele à sua disposição na concessionária lhe traria a possibilidade de reunir a família e quem sabe até retomar as viagens com algum filho ou com os netos, os quais levaria para fins de semana na linha verde e lá tantas memórias boas viriam à tona. O sucesso do blá-blá-blá foi rápido, contradizendo o que rezava a cartilha, e o senhor que entrou na concessionária num fim de tarde só pensando em se livrar de seu carro com bagageiro sai da loja com uma parte da aposentadoria comprometida com a prestação do SUV seminovo que lhe ofereci na troca pela sua Parati velha. Desse modo, fui mostrando meu potencial e subindo na firma.

Na saída do trabalho, tinha que passar no supermercado para fazer as compras. O pior momento de sua vida a cada quinze dias. Era a obrigação que fazia da ida um tormento e era muito difícil fazer Érico participar desde que as crianças nasceram. Nem que fosse para comer um acarajé na baiana que ficava na esquina do supermercado. No máximo, me pedia para levar o dele. "O de sempre", ele me dizia. O que mais chateava é que houve época em que nos distraíamos no supermercado. A gente fumava um baseado e brincávamos de um jogo que consistia em seguir alguém e fazer compras bem parecidas com as da pessoa. Chegando em casa, mais um baseadinho e a brincadeira era adivinhar como seria a sua vida. Tínhamos certeza de que todo o inventado se confirmaria se reencontrássemos a pessoa. Às vezes, quando estou animada, refaço a brincadeira, ainda que sem os baseados, que já parei de fumar. Entro em algum lugar fora dos planos para lidar com uma realidade imprevista. De loja de tintas à rua fechada exclusiva de moradores. Esta era, aliás, a versão original da brincadeira: siga o estranho — inventada junto com minha irmã. Não era o caso daqueles dias, porém.

Érico sabia ser divertido. Ele não era feio, mas sem dúvida já tinha sido mais bonito com toda a juventude a seu favor quando nos conhecemos. Olhando assim, com distância, parece que a noção da responsabilidade — ou a simples menção à vida adulta — o fez pular dos vinte e dois para os trinta e seis anos em um mês e meio. Difícil apontar exatamente o momento em que isso aconteceu. Nem ele nem eu nos demos conta disso na época, mas foi certamente quando Érico deixou a leveza e resolveu entrar de cabeça no que chamava de responsabilidades de homem. Dizia isso querendo me impressionar, e esse desejo de alguma maneira foi tirando dele o frescor que era sua própria graça e que estava justamente do lado oposto às tais responsabilidades.

O espelho é o primeiro lugar para onde olhamos quando o objetivo é mudar. Antes desse momento fatídico, ele deixava os cabelos crescerem um pouco mais e eu gostava dos cachos que apareciam. Mas aquilo não era postura que se adequasse ao perfil da empresa e ele passou a cortar o cabelo curto, evitando os cachinhos. Exatamente do jeito que sua mãe sempre gostara e ele se negava a fazer. Érico desistiu de ser jovem para virar empresário e, desde esse dia, ele foi só um batalhador que fingia ter cara de chefe. As aparências que começaram a ditar a nossa vida foram se alinhando àquele corte de cabelo.

No grupo de troca de mensagens com os contemporâneos dos tempos da escola, as brincadeiras infantis me fazem lembrar com ternura desse antigo Érico — embora ache aqueles homens todos um tanto idiotas com suas brincadeiras pseudoviris de meninos de dezessete anos quando já são na verdade todos uns brochas precoces desde os trinta. Brincam de falar mal da vida de casados enquanto as meninas do grupo fingem reclamar da fidelidade e da solidariedade dos maridos. A vida me tirara do contato com todos eles e o retorno pela via virtual trazia sentimentos ambíguos. Ver aquelas coisas por escrito me enche mais o saco do que se as ouvisse ao vivo. Não me considerava melhor do que eles, mas vê-los parados na mesma piada fazia com que eu me sentisse parada também.

O cotidiano fora da internet ou da Dois Irmãos era basicamente a convivência com minha família e os amigos de Érico, aos quais me adaptei sem dificuldade. Gente comum e sem frescuras como nós. E ele adorava estar sempre cercado pelas amizades que foi acumulando ao longo da vida. Nos últimos tempos — até para não gastar dinheiro na rua — revezávamos as casas para jantares com casais que levavam uma vida parecida com a nossa. Além de ser um bom programa que incluía os filhos, podíamos comer uma comida gostosa e beber vinhos, hábito pelo qual tomamos gosto. Érico até fazia parte de um clube de apreciadores ávidos por desvendar os segredos da bebida.

Moro no condomínio das três torres: Atlântico, Pacífico e Índico. Meu apartamento fica na Atlântico e as visitas sempre elogiam meu bom gosto com a decoração. Dizem até que eu devia trabalhar com isso. O apartamento tem três quartos. Não é grande, mas confortável: tem cozinha planejada, móveis leves, cortina de vidro, decoração discreta com algumas fotografias enquadradas na sala. Mas o principal fica do lado de fora: o condomínio tem todos os confortos de um clube. O esforço de Érico produziu frutos a olhos vistos e nossos filhos puderam gozar de ainda mais vantagens do que eu na minha adolescência. E, acima de tudo, havia a tranquilidade de morar ali. A vida anda muito violenta e ter conseguido proteger os filhos do mundo cão lá de fora foi uma dádiva pela qual agradeço a Érico todos os dias. "O mundo está muito competitivo e eu não posso dar bobeira" — ele me dizia quando ouvia elogios à sua tenacidade.

As discussões políticas que de repente se tornaram mais frequentes não chegaram a abalar nosso círculo de amizades. Não gosto de políticos. Érico sempre defendia seus argumentos, mas não deixava que a discórdia produzisse rompimentos. Os amigos achavam que ele ficava em cima do muro, mas eu sempre disse que ele estava mais para simpatizante de americano. A sua família tinha relação de muito tempo com alguns políticos que mandavam e desmandavam na cidade desde a época dos militares. Seu pai fora dentista do Exército e virou sócio de um curso pré-vestibular. Sua mãe, secretária de um maioral que depois de ser presidente da Associação Atlética virou membro do Tribunal de Contas da cidade e foi pendurando seus parentes no governo de um jeito ou de outro, garantindo a sobrevivência financeira e a influência política do clã. Eu do meu lado, acompanhava as opiniões de Érico mais por esperteza do que por convicção: se ele não queria brigar com os amigos, eu não queria brigar com ele. Até porque essa era uma discordância nossa que, segundo ele, me aproximava dos meus pais, que "acham que nasceram em Cuba".

Claudio e Rose, um casal de moradores da Índico, tentaram a todo custo fortalecer um vínculo com a gente. A atitude me causava certo desconforto, mas não os rejeitaria como Érico fez. Ele recusou dois convites de Claudio para irmos a uma boate e também a uma champanheria que eu sabia que Érico estava doido para conhecer. Estranhei sua antipatia, mesmo conhecendo as cismas dele. Aquele era um programa do seu perfil e o casal parecia muito disposto a nos agradar.

Eu gosto de música, de dançar e ir a shows, mas Érico não gostava de multidão porque "show cheio aqui na cidade só dá gente feia, baixo astral". Mesmo assim, vez por outra íamos e era divertido. Eram seus clientes que conseguiam convite e às vezes até um lugar mais confortável e longe da multidão. E havia o Erivandro, um dos irmãos de Érico, que é assessor de imprensa de uma marca de cerveja, o que também rendia o mesmo tipo de vantagens. Mal ou bem era um programa que acontecia duas ou três vezes por ano. À praia nunca íamos. O condomínio tem piscina e Érico, depois de virar adulto sênior, passou a não gostar de tomar sol. Íamos à praia lá em Villas do Atlântico ou em Ipitanga só para tomar cerveja e comer caranguejo embaixo da barraca. E isso, para mim que sempre gostei do mar, não era praia. Desde a decisão da prefeitura — que com toda certeza foi para dar dinheiro para alguém da corja deles — as barracas foram desaparecendo. Como diria Érico: "No Brasil ninguém pensa em ninguém. Muito menos os políticos. Cada um só pensa em si. Se Deus quiser, os meninos vão poder estudar lá fora".

Érico

Quando me olho no espelho, vejo que devo mais a pai do que a mãe. Tem bastante coisa que já vem na carcaça do corpo e da alma independentemente da nossa vontade. Então, essa sorte eu tive. Depois joguei bola sempre e bem, e nunca fui pipoqueiro. Quando se sabe fazer uma coisa de pequeno, o resto se entende por analogia. A gente cai no mundo alguma hora e eu, desde então, sempre fui capataz e biscateiro. Mensageiro e com visão de jogo. E me virei de todas as maneiras, corri as fronteiras, estabeleci cercas.

Chegava primeiro que os postes de luz e o dono da terra. Tirava invasores do terreno do outro, mandava homem parar de bater na mulher. Mandei uns tantos embora por acharem que podiam foder as filhas. Vendo esses bichos do mato, você nota que, para eles, os filhos são apenas um efeito do seu esperma dentro da mulher com quem ele só queria foder. E essa tal mulher é que foi ficando e acabou arranjando uma família para ele. A filha é só mais uma mulher à sua disposição. Então esses aí eu mandava voltar para o meio da selva, longe dali. Macacos. Nem todo mundo é digno de amor. Fazia para impor respeito e também por educação. Minha avó era professora e foi quem me ensinou a gostar da lição. Vim de bons exemplos: barbeiros, donos de botequim, professores, funcionários. Eles me levaram adiante e tive a minha chance. Deixei eles e fui atrás do meu. Acabei me entendendo bem com a rua, com a noite.

Do que mais me cabe falar? Já faz tempo. Estou Aqui. Mudo, sozinho, não sinto quase nada. Vivo só o massacre monótono da rotina. Essa massa gasosa e quente que é a nossa placenta fora da barriga, que nos envolve e dá a sensação de tempo perdido, tempo parado. Estou submetido a isso. Uma vida sem grandes movimentos na prisão do cotidiano. Foi desse cotidiano que extraí força para escapar de sua própria violência muda, opressiva, uma terrível imposição sobre a minha vontade de ir além. Corri muito atrás, agora estou sob vigília. Então, menos por arrogância, mais por sinceridade, aviso: sempre bati, levei a vida assim. Acho que a gente é violento para se distinguir. É muita gente no mundo, não basta o nome na certidão. No meu mundo, não queria tantos, já nasci satisfeito. Para mim era bem simples: para que duvidar de mim mesmo e da minha condição? Mas é preciso circular. Eu, por exemplo, uma hora me casei. Nem quero tratar de nada disso, não vem ao caso. Só que a partir daí, depois que se cai na vida, vez por outra temos que nos deparar com o formigueiro, a serra pelada, o puteiro gigantesco que é a zona urbana.

Um dia — devia ter uns dez para onze anos naquela época — estávamos jogando nosso futebol. Devia ser de manhã. De repente uma renca de moleques vindos da favela que ficava bem próxima apareceu no alto da rua. Nem se chamava de favela na época, chamava invasão, e ficava logo depois do resto de mangue e do terreno baldio de uma fábrica abandonada que cercava nossas casas — e que depois foi progressivamente tomado pelos pombais de emergentes. Desceram a rua carregando paus. Uma cena para filme. Nós ficamos com medo. Eles eram pretos, malvados, cheios de si, tinham todos no máximo três anos a mais do que eu. Na média eram como nós, mas já carregavam muito do que o mundo dos adultos tem. Talvez à sua própria revelia, sem a consciência da vida adulta. Muitos não permanecemos assim até não sei quando? Frutas maduras por fora e verdes por dentro. Eles não ligaram para nós, pararam na beira da quadra. Dois deles estavam cercados e intimidados pelos outros por alguma razão que eu não conseguia perceber. Os dois morriam de medo. De repente o líder daquela tropa começou a falar com um dos dois num tom policial e, como um sargento de ronda, deu o mais perfeito soco na cara que eu já tinha presenciado de perto na minha vida. Boxe mesmo. E o pivete chorou aquele choro humilhado de bandido arrependido, desesperado, pedindo desculpas para não apanhar mais. Talvez nem ele soubesse onde tinha errado, contrariando o ditado que diz que quem apanha sabe por que está apanhando.

Então foi isso. Minha turma não era diferente. Fui criado respeitando e tentando ser respeitado pela lei do mais malandro, o macho alfa. "Eu sou eu, licuri é um coco!" Quebrei meu nariz assim, brincando de ser homem em uma garagem transformada em ringue. Depois despachei essa violência apreendida num garoto-meio-bicha da escola. Mas aqueles dois acusados, bandidos da vez, por alguma confusão dessas que parecem de sonho, conseguiram escapar do cerco. Quando vi já corriam. E correndo por dentro dos quintais foram se esconder nos fundos da minha casa. E era sábado. E meu pai estava em casa. E vi meu pai protegendo os garotos, saindo com eles escondidos dentro de seu carro. Todos os outros neguinhos parados na frente do portão e eu sem saber como entrar em casa. Nem me lembro se enfrentei o paredão ali e entrei em casa antes que a confusão se dissipasse. E ainda temi por meu pai. Não lembro de termos comentado nada depois. Meu pai era uma pessoa boa, digna. Às vezes me pergunto se alguma vez o humilharam. Não havia nele traços de nada disso.

No mundo, tem gente que é mais para sabida e gente que é mais para esperta. Alguns por mim não deram nada, hesitavam em me aceitar. Olhavam arrogantes, mas não atrapalharam.

Sou esquemático, organizado. No jogo de futebol todo mundo se diz técnico ou craque, mas se for ver mesmo, quase ninguém consegue ser competitivo. Se botar pra correr no campo, em quinze minutos a bola nunca mais passa por perto, e ainda bota meio palmo de língua para fora, cansado de tanto correr. É muita garganta que se tem que aguentar. Mas nunca me importei não. Quem gosta de aparecer que vá trabalhar em novela. Eu fiz o meu sempre com discrição. Era parte do serviço. Para falar muito, só sendo Romário. Sou capitão do mato? Alguém tem que liderar a tropa. As crianças precisam de conversas assustadoras para dormir. Seus pais também.

Foi coisa bem ridícula a primeira vez que apanhei de alguém com autoridade para bater. Andava por uma área residencial exclusiva de militares. Era acostumado a andar por ali porque a filha de um milico frequentava minha área e eu já tinha passado pela zona militar várias vezes por causa dessa amizade. Nunca tinha chamado atenção, mesmo achando que era ousado passar por ali. Dessa vez, contudo, estava sozinho, andando para ir à casa de um amigo que morava num prédio bem ao lado desse cercadinho residencial-militar. Resolvi cruzar a rua fechada para cortar caminho. Quando já estava perto da saída, um soldado de guarda naquele quarteirão me falou que não podia passar por ali. Reagi amedrontado e disse que já estava saindo. Veio andando em minha direção e, como eu ainda estava saindo quando ele chegou, me deu uma pancada com o cassetete nas costas, na altura do rim, e disse: "Sai pra lá, neguinho". Não foi nada para doer muito, mas a agressão ficou. A primeira vez que apanhei de alguém com autorização para agredir.

Também houve o ritual de perder o medo do outro em épocas de Carnaval: uma universidade para quem quer. Aprendi feio. Pedindo pelo amor de Deus para entrar numa barraca imunda de um vendedor de cerveja que tinha uma cara que

Deus me livre. Mas o desespero do meio da multidão era pior. E o sujeito não deixou. Nem tive raiva dele, nem tive chance de ter. Fiquei ali pálido, quase virei branco, espremido entre o balcão de madeira da barraca de cerveja e não sei quantos mil negões pulando e se batendo no meio da rua. A gente quer circular e se perde. Depois fui aprender sendo o último da fila do bonde dos machos atravessando a avenida num outro Carnaval. Se alguém queria bater, batia no último. O menor. Aprendi isso também. Pescotapa no cocuruto. Levei rasteira, mas pelo menos não caí. Com os anos fui mudando de lugar na fila. Até ser o primeiro. O abre-caminho. Ele é quem está de olho nas possíveis brigas. Virei chefe da turma. Havia também de aprender a não pagar passagem de ônibus. Saltar pela porta traseira sem pagar tendo dinheiro ou não. Outra vez o último. Outro pescotapa dado pelo cobrador que não conseguiu me puxar pelo braço. Apanhando se aprende a bater.

Depois, entrei para o movimento da rua. Pivetes de classe média baixa atrás de adrenalina para o cérebro. Remediados querendo se distinguir da ralé que andava por perto nas invasões, nos alagados, na baixada, no estaleiro. Fazendo time contra para aprender a não ter medo deles. Roubando as plaquinhas com os nomes e as marcas dos carros, vendendo cheirinho da loló para os playboys da escola, jogando pedra em ônibus do alto da ribanceira, levando uns toca-fitas de carros estacionados no conjunto de prédios próximo de casa para comprar maconha, saindo do supermercado levando um disco ou uns chocolates sem pagar. Nada muito sério. Não houve vítimas, nem tapas. Todo mundo queria experimentar a liberdade. Antes isso do que hoje em dia. A única consequência foi que os pais botaram seguranças na rua para se proteger dos próprios filhos. Tudo silenciosamente, como sempre.

Não fui jovem leitor, os livros não eram tantos, mas eles estavam lá, nem me lembro onde, em silêncio com seus títulos misteriosos que, mesmo não lidos, ficaram guardados na memória como lemas de para-choques de caminhões na estrada que você não consegue ultrapassar e segue reiterando o recado: *O negro revoltado, Rebeliões da senzala, Incidente em Antares*. Aprendi sem livro mesmo a ser branco e a ser preto. Sei da língua de uns e dos modos dos outros. Deixei para trás o medo do rótulo. O pobre não quer ser rico. O pobre quer ser pobre com dinheiro. O rico, o que ele mais quer é que o pobre vá embora. Se precisar de dinheiro tudo bem, mas leve seu dinheiro e vá morar em Marte, é o que o rico pensa. Não dá é para ficar na mesa ao lado. Me criei nesta encruzilhada e deitei neste colchão sem inocência. Fui adquirindo coragem a cada topada e assim aprendi a ser Érico antes de mais nada. Para os muito íntimos, Evandro Américo. Meu pré-histórico. Para o futuro, Cineasta. Gostei deste presente que Lídia me deu. Ela me batizou.

Eu fui longe demais movido pela raiva dos outros. Cheguei ao limite da minha própria raiva ser consumida pela raiva dos outros. Ódio não tem limite, e é nisso que ele supera o amor. O ódio não se transfigura, ele pode até ser filho do amor, mas ele não retorna ao braço do pai. Ao contrário, o ódio avança infinitamente, disfarçado até de amor se isso lhe convier. O problema é o que você quer controlar e não consegue. Quando a cor não está na lata certa, no lugar certo, os radares do medo e da raiva disparam, os pelos de gato se ouriçam e o bicho sai da toca. Esquece que é um gatinho domesticado que mora no décimo andar de um edifício em qualquer cidade grande e vira o felino primo da onça. Ataca. Eu cuidava das jaulas dos felinos. Minha arte acabou sendo a de ver o movimento da rua, separando o joio do trigo. E fui tomando gosto pelo trigo. Prestando atenção na força dos dedos daquela que carrega suas sacolas amarelas de supermercado e supondo que ela era canhota porque sempre levava muito mais sacolas com a mão esquerda. Entregando o protagonismo para aquele que gostava de atravessar a rua assim que o sinal para pedestres fechava e que dava uma corridinha para o corpo ganhar velocidade com o impulso, para em seguida concluir sua ginástica, uma dança para escapar dos carros que vêm acelerando em sua direção enquanto ele vai desacelerando ao se aproximar do outro lado da rua. Atento aos que gostavam de sentar nos bancos de cimento e ficar por ali num horário menos frequentado, rindo intimamente pela oportunidade de ficar bem com quase nada. Funcionários de empresas usando a hora do almoço para jogar cartas e conversa fora. Alguém que chega para fazer uma entrega e encontra ali um bom lugar para simplesmente deixar a vida parar, ou para tentar se conectar com uma vida que ele sente distante de si. A empregada doméstica à beira de gritar e abandonar seu desespero calmo, enquanto segue empurrando a criança no balanço e imaginando que qualquer lugar no mundo seria muito melhor do que ali naquele momento; mas que também vive alguma recompensa, porque a criança ainda não percebe que a sua rotina é implacável e se excita com o prazer de sentir o vento na barriga. E é esse vento que faz ela soltar a pérola que traz a babá desamparada de volta ao mundo dos vivos. A criança repreende um bebê que tenta dar seus primeiros passos e que ri da bronca. Ela brinca de ser grande. E a babá se delicia. O bebê sabe que a outra é uma criança, já enxerga nela seu futuro. O bebê que já é um ator de cinema mudo. Ele aprende isso tudo com um ano ou menos, mas demorou muito até que começássemos a ver no outro algum futuro. E mais ainda para andar só com os pés, tirando as mãos do chão. E ainda é isso que a nossa vida é. Apenas andar com dois pés e apreender o que só é possível depois dessa espigada, quando ficamos de pé. Estamos ainda no processo de assimilar tudo que há para ser assimilado por esse simples gesto ancestral de andar com a coluna reta.

Terá sido por curiosidade? Somos genes passageiros transmitindo ondas cerebrais para os genes do futuro. E o mais fascinante é que podemos passar para os genes de nossos próprios vizinhos contemporâneos e com isso aumentar o poder de irradiação das ondas cerebrais. E nos permitir ser possuídos pelas ondas vindas dos genes de outros. Possuídos por genes e mutações genéticas vindas de pais, avós, filhos, mestres, comparsas e inimigos que teimam em nos fazer evoluir. E devemos também, por curiosidade, teimar em recordar esse primeiro passo, já que nos foi dado o direito de repeti-lo quando éramos bebês. Ninguém precisa entrar em uma máquina do tempo que leve para tão longe na pré-história. Basta entrar na máquina que lhe devolva à sua primeira infância. E, a partir daí, tentar entender por que se quis muito que isso acontecesse. Por aí não faltam pracinhas e bebês disponíveis que podem servir como gatilhos de flashbacks para quem quiser.

Finalmente, assimilei que meu lugar nesse trâmite não dependia dos outros. Meu lugar era cativo mesmo se estivesse sozinho. Esse lugar meu era no porão do navio, e eles estavam me preparando para ser jogado ao mar. Nem tive oportunidade de reagir. Nem de falar com Lídia. Não adianta querer saber mais da missa que o vigário. O Pai Nosso é deles. Foi por isso que um dia acordei fora d'Aqui. E resolvi caminhar.

Mariana

Estava andando em direção ao café onde costumava tomar o digestivo do almoço e, de passagem, resolvi entrar na igreja em frente à concessionária para me espreguiçar um pouco. Era uma época corrida, de dias longos. Apesar da combinação com Santiago — meu gerente —, eu não estava conseguindo cumprir a meta. Problema na escola das crianças que me tirou do trabalho algumas vezes. Para completar, Érico viajara a serviço e só voltaria no fim do mês. Estava estressada e sem tempo, nem mesmo o escasso que tinha para mim. Quando acontecia isso de Érico viajar, eu queria aproveitar para sair de casa e experimentar a sós a minha solidão. Sempre me senti sozinha, mesmo rodeada de marido, filhos, amigos, condomínio. No início isso me deixava bem mal. Mas depois de uma fase longa de lamentações, seguida por outra de leituras leves para relaxar e enganar a tristeza, fui tomando gosto e percebi que a solidão me dava uma espécie insólita de liberdade que talvez nunca tivesse sentido, nem mesmo antes do casamento.

Àquela hora não havia muita gente na igreja. Aos poucos fui ficando praticamente sozinha. Fazia muitos anos que não entrava numa igreja sem ser para ir a um casamento. Costumava frequentar bastante porque minha mãe era bem carola, o que ela foi progressivamente deixando de ser com o passar dos anos. Nos tempos de criança, de vez em quando ela escolhia a mim ou à minha irmã para acompanhá-la à missa. Naquele momento de descanso, senti que alguma coisa naquilo me agradava, embora pela regra do jogo sempre dissesse à mãe que não queria estar ali. Uma igreja é um espaço largo. Numa cidade que só faz crescer e espremer quem está dentro, o templo é realmente uma benção. E aquele ambiente me pareceu pela primeira vez especialmente sagrado. Foi uma coisa surpreendente que alargou meu tempo e me esvaziou. Durante minha meditação, o padre comentava sobre o sentido da lavagem da Pituba, que se iniciaria dali a pouco, perto do Carnaval, naquela mesma praça onde estávamos. Saudosista, ele falava dos tempos áureos da festa com concursos, desfiles de blocos, capoeiras e a novena — esta, a única parte que ainda persistia. Até mesmo a festa de largo acabou-se. Ficou só a parte estritamente religiosa. Estranhei ver um padre lamentando a ausência da folia. Ele, em algum momento, deve ter sido um folião. Possivelmente na mesma época em que eu própria fora uma, já que, pelo menos aparentemente, sua idade regulava com a minha. Na minha fase de festas de largo, as únicas lavagens que considerava eram a da igreja do Bonfim e a da Conceição, que aconteciam perto de casa.

A última pessoa a sair parou ao lado do meu banco e deu um bom-dia que quase fez com que eu me acabasse de chorar — sempre gostei de retribuir ao cumprimento até no elevador e estava adorando aquele tempo que ganhei ali na igreja. O espaço que ele criou dentro de mim. Aquela mulher ainda me consolou pela emoção que demonstrei: "A gente acabou perdendo a hora de se interessar pelo outro". E continuou como se estivesse vendo dentro de mim: "Aproveite esse presente inesperado. O tempo que não tem raiva. Alguma hora é preciso frear o carro para deixar a garça passar em seu voo rasteiro. E se há pelo menos dois tempos — o que aperta e o que se espalha —, também há a lei que diz que dois corpos não podem ocupar o mesmo lugar no espaço". Entendi que aquela senhora até um tanto maluca estava dizendo que o espaço, no caso, era eu. Ou o padre representando a igreja, ou a igreja que era a morada do senhor. E achei que ela não estava errada.

"Às vezes olhando para trás da nossa vida, pode ser até meio sem querer, de uma forma repentina, o sentimento que nos afeta é o de desconforto, ou de revelação, e não o de saudosismo." Naquele momento, me identifiquei em especial com essa fala do padre. Já senti isso algumas vezes. É um susto comparável a perceber uma presença fora do seu campo de visão e, desculpando-se pela desatenção, você abre espaço para aquele alguém entrar na roda da conversa. Meu filho Matias teve esse nome escolhido por ser bíblico, na verdade uma sugestão de minha mãe. A importância dela nessa escolha só me veio à mente por ter lembrado das visitas que fazíamos à igreja. Estava na dúvida entre Mateus e Matias e ela me disse que Matias estava presente no primeiro domingo de Pentecostes. Que ele tinha entrado para o grupo de apóstolos depois da saída de Judas por conta da traição. Lembrei até da roupa que ela vestia nesse dia: um macacão escuro, com gola de camisa e cavado que deixava seus ombros de fora. Eu achava minha mãe bonita como aquelas atrizes de televisão. Em que lugar estavam guardadas essas memórias? Por que me deixei convencer por esses argumentos de minha mãe? Amei mais do que nunca a ideia de ter um filho com o nome Matias. Isso me faz amá-lo ainda mais. Pesquisando depois sobre seu nome, descobri que um de seus significados é dádiva de Deus e que ele é apenas uma variante do nome Mateus.

Não demorou muito até chegar a próxima vez em que me senti assim alargada. Dessa vez meu corpo ficou tão afetado que cheguei em casa e me masturbei. Tudo isso porque logo ccdo resolvi descer e dar umas voltas despretensiosas pelo condomínio e fiquei com tesão observando a jardineira trabalhando divertida. Mesmo vestidos naquela roupa verde folgada que tira a sensualidade de qualquer um, o papo descontraído entre aquela moça e seus colegas enquanto cuidavam das nossas plantas me deixou excitada. Alguma coisa vinda deles me encantou. A distância entre nossos mundos, embora conveniente, me pareceu estranha e artificial. A verdade é que se alguns deles estivessem dentro de minha casa num almoço de domingo, poderiam passar por meus parentes. Muitas coisas nos separam, mas outras tantas nos aproximam. Todos eles eram bem mais jovens do que eu e aparentavam ter a minha idade. Não que tenham sofrido da mesma velhice precoce de Érico. A dureza da vida os envelheceu. O excitante foi perceber que estavam no mundo a serviço dos outros e isso não parecia afetar nem seu brilho, nem sua beleza.

Meus filhos foram os únicos que estranharam a presença mais frequente da mãe na área de convivência do condomínio, que eu quase não frequentava antes. Eles estavam acostumados a ter ali as suas primeiras experiências com a vida e se sentiram invadidos pela minha presença. Estar ali, contudo, se tornou inevitável para mim. Durante a viagem seguinte de Érico, eu descia ao playground no horário em que os vira trabalhando, ou no horário da escola dos meninos, ou antes de sair para a concessionária. Já estava para questionar alguém da administração do condomínio sobre a escala dos funcionários, quando um dia avisto a jardineira e seus colegas. Ondina era o seu nome. A pretexto de pedir informações sobre uma nova empregada, puxei papo e deixei a conversa fluir, mas ao mesmo tempo me comportei de forma a não aparentar que algo diferente de uma conversa entre uma patroa e seus empregados estivesse acontecendo. Fiquei contente com o fato de os jardineiros terem uma conversa normal comigo, embora o tom de voz deles fosse mais cerimonioso do que quando os ouvira à distância. Acabei chegando atrasada ao trabalho e usei a desculpa de problemas com a escola. Aproveitei para conversar com os colegas sobre o desejo das professoras de que os meninos sejam estátuas. Me considero boa mãe. Tinha escolhido o colégio dos irmãos Maristas por ter um ensino considerado puxado, mas não podia deixar meus filhos virarem um mauricinho ou uma mocinha domesticada. As recordações de todos ali sobre seus próprios aprontes estudantis aliviaram o clima pelo meu atraso num dia de relatório de rendimento e divisão de bônus, além de revelarem um bando de maus elementos com quem eu convivia na concessionária. Todos confusos com o papel de pais que devem se preocupar com os perigos na cidade que cresceu tanto desde quando os jovens éramos nós: "Muita droga, muita maluquice na rua". Todos vivem, como eu, o dilema entre liberdade e repressão. Alguns mais corda curta do que outros, chegamos à conclusão de que queremos que nossos filhos tenham tudo, só que sem expô-los aos perigos que têm justamente a mesma origem desse tudo que queremos que eles tenham. Acabamos ficando até mais próximos depois desse encontro, que foi menos reunião do que terapia de grupo. E eles me acharam muito sensata nas opiniões.

Érico, como sempre, viajava. Eu tinha aproveitado para chamar Rosana, uma cunhada de Ondina, para ajudar no serviço da casa por causa de uma visita de meus pais. Minha mãe se surpreendeu porque volta e meia me via na cozinha de papo com Rosana. Eu voltava a ter gosto por cozinhar e aquele é um lugar onde sinto prazer em ficar. O sentimento é diferente do que eu tinha na época em que era do lar. Agora o lar é meu. Em casa, a conversa corre mais solta e conto para Rosana que, na verdade, sempre fui boa em trabalhar com as mãos. Relembro a minha mãe de que a avó Dodó, mãe de meu pai, falava que uma mulher que é boa de bordado não passa aperto na vida. Mãe fez questão de dizer que nunca incentivara isso e enfatizou que mulher não tinha mais que ser dona de casa. Tinha era que ter emprego para ajudar o marido a sustentar a casa. Rosana contou que trabalhava desde menina e não teve chance de aprender a costurar, mas aprendeu rápido a fazer uma boa comida do dia a dia. Sua avó também fora costureira. A minha falava que, na sua época, costura era dote de menina fina, de família boa e que ela própria, embora fosse de família de gente normal, aprendera a costurar ainda mocinha com uma madrinha muito generosa que tinha carinho de mãe por ela. Meu pai ficou numa das poltronas da sala todo o tempo em que os dois estiveram hospedados lá em casa, lendo o livro que minha irmã tinha acabado de lançar. O orgulho dele fora um dos pontos altos do evento na faculdade onde ela era professora. Sua alegria espontânea era compreensível — *Fossa das Marianas* tinha meu nome no título e era dedicado de maneira singela a ele e à minha mãe —, mas havia sido uma surpresa, tanto para Cristiane quanto para mim.

Érico voltou da viagem feliz. Eu estava usando os fins de semana para costurar e tinha Ondina como minha top model mental. Ele aproveitava os intervalos sem viagem para pedalar com uma turma de colegas. Às vezes achava que ele poderia estar com alguma amante. Mas a raiva que vinha quando eu pensava nisso não era ciúme. Era mais um gosto ruim na garganta pela falta de consideração que seria ele me trair. Eu procurava dicas sobre como abrir uma confecção. Apareceu em um site o caso de sucesso da empresária que abriu sua confecção na garagem e já faturava mais de um milhão. O ponto de partida, todos dizem, é uma boa modelagem. Isso eu já ouvira de vó Dodó. Quando era menina, sempre via na casa dela aquelas revistas com modelagens e ela usando vários instrumentos para recortar, imitar e adaptar os modelos. Essas imagens vieram acompanhadas de um sabor que misturava as tantas maneiras carinhosas com que minha avó cuidara de nós. Ela exalava afeto. Não lembro de tê-la visto exaltada diante da confusão que fazíamos e recordo a disposição para doar seu tempo e atenção àquelas crianças e a quem mais aparecesse. Por que isso? De onde vem? Que tipo de recompensa traz? Procuro cursos de modelagem, leio sobre método centesimal, sistema moldescópia. Mas esse enlace com minha avó era o mais importante naquilo tudo. Uma coisa de família me ligava à costura. Era uma herança mesmo. Minha memória passava por aquilo. Retomar seria reencontrar um fio de vida que fazia todo o sentido naquele momento e que dava sentido a tudo o que conseguia enxergar para meu futuro. Um tremor percorreu meu corpo e o medo de provocar o desgosto de Érico se misturava a uma excitação que atormentava meu coração.

Tentei conversar com ele sobre essa vontade de costurar em maior quantidade para poder vender umas coisinhas e, quem sabe, ter uma confecção. Aquilo podia até dar mais dinheiro que o trabalho vendendo e revendendo carros, já que as pessoas estavam atrás de coisas assim diferenciadas. Ele, de maneira carinhosa e como de costume taxativa, se disse feliz por eu ter engrenado na concessionária e que a situação era provisória. "De repente você nem vai mais precisar trabalhar quando os meninos entrarem na faculdade, se tudo der certo com o negócio em que entrei de sócio de um cliente rico." Érico comentou que, na ida para a escola, Andressa reclamara muito da mãe que insistia em fazer com ela uns programas de gente velha e que ela não queria ter mãe costureira porque nenhuma amiga dela tinha mãe costureira.

Mas eu só pensava em tecido.

Depois de uma viagem que durou mais de um mês, Érico voltou apreensivo, e sua tensão veio para aborrecer. Ele não gostou da comida que mandei preparar para a noite, quando

Ronaldo e Andréia viriam para comer e beber alguma coisa. Eles eram próximos da gente, mas Érico achou a comida caseira demais. "Você fez comida para parente?" Logo antes das visitas chegarem, resolveu implicar também com a minha roupa, que lhe pareceu um pouco extravagante. Tentei explicar que ele não entendia de moda feminina. Menti dizendo que escolhera aquela roupa junto com Ivone, a vizinha da torre Pacífico, que encontrara no shopping, "casada com aquele rapaz, Paulo, que mostrou a você outro dia — no Ipad, lembra? — um site que falava em como investir na crise". O jantar foi uma delícia. Bebemos, rimos assistindo a shows e brincadeiras bobas da internet pela televisão. Além do casal, subiu ao apartamento Luiz, que morava nove andares abaixo e tinha virado o grande parceiro de Érico. Andréia, mais soltinha pela bebida, perguntou de maneira simpática — mas que constrangeu um pouco a roda — de onde tirei aquela receita deliciosa de casa de tia do interior. Rimos todos, mas Érico fez uma expressão típica sua, mistura de dono da razão e de repressor.

Eu voltava à igreja com frequência. A da Pituba é dedicada à Nossa Senhora da Luz e minha mãe sempre foi devota de Maria. Num final de expediente, vamos juntas a uma missa de fim de tarde. "Estou muito feliz de você ter voltado a ser cristã, Mariana", ela me diz. Conto que quando morávamos na cidade baixa eu gostava de falar que tinha nascido no Hospital da Sagrada Família. "Aquilo me parecia chique." Nunca entendi a liturgia da missa. O que deve vir primeiro, depois. Acompanhava, somente. Mas gostei desse padre desde o primeiro dia. Ele é bom contador de casos da Bíblia e dos santos: "Nossa Senhora da Luz é a mesma Nossa Senhora das Candeias ou Nossa Senhora da Purificação. Aquela que entra no templo com seu filho no colo". Procurei pela igreja alguma imagem que retratasse essa passagem da Bíblia, mas ela não tem nada das tantas igrejas mais antigas da cidade. É uma igreja mais *clean,* com paredes lisas e altar simples, onde se destaca a figura enorme de um Cristo crucificado, também este sem maiores belezas. A parte mais deslumbrante é o imenso vitral que mostra a madona e, no seu colo, o filho rei de cetro na mão. O vitral adorna a torre de uma fachada sem adro e com um pequeno lance de escadas que dá para o estacionamento da praça principal do bairro. Praça esta que, assim como a igreja, tem o nome de Nossa Senhora da Luz.

Nesse passeio do olhar pela nave central, notei algumas senhoras vestidas de amarelo e pelo seu tipo e suas roupas imagino que seja gente de candomblé. Como pelo calendário o dia de Nossa Senhora da Luz é dois de fevereiro, deduzo que ela deve ser sincretizada com Iemanjá, que tem festa nesse dia em Salvador. Não sabia que as devotas de Iemanjá vestiam amarelo. Achava que a gente de candomblé sempre se vestia de branco. A comemoração na Bíblia é a do dia da consagração do Salvador. Quarenta dias depois do nascimento de Jesus. "Nesse dia, Maria e José levaram o menino Jesus pela primeira vez ao templo. Antes disso, Maria estava impura segundo a tradição dos judeus, a lei de Moisés." É do que tratava a homilia, com menção ao evangelho de Lucas e à profecia de Simeão. Na missa vespertina, o padre falava de São Paulo. Citando os atos dos apóstolos, conta da possível amizade entre Lucas e Paulo. Ele nos questionou sobre o que buscamos na Bíblia. Me distraí pensando sobre a minha própria crença. No tamanho de minha fé na existência de Deus. Se já coloquei essa fé à prova para testar sua resistência. "A única coisa que Deus espera da gente é que continuemos na fé. Nada mais." O padre depõe que o caminho da fé é tortuoso.

As mulheres de amarelo, mãe e filho no vitral, o canto do Magnificat ao lado de minha mãe. Aquela tarde acaba consagrando meu carinho por minha irmã, que é quem gosta dessas coisas de candomblé. Nós duas cantávamos juntas essa canção da Virgem, que achávamos bonita de cantar. E se eu carrego o nome de Maria, Cristiane carrega o de Cristo — minha mãe realmente era uma católica com boas ideias para nomes. Comunguei e, devidamente incensada, saí tomada pela alegria de ter experimentado a fraternidade de uma forma livre e desavisada com uma pessoa tão ponta firme como minha irmã caçula, que era considerada a gênia da família.

Durante a infância me interessei por coisas da Bíblia. A gente achava que ia ser freira, mas mãe e pai nunca levaram aquilo a sério. E não era coisa séria mesmo, mas lamento que eles não tenham incentivado mais o meu gosto por ler os evangelhos ou os livros do Antigo Testamento. Acho que os evangélicos são mais dedicados a essa coisa de leitura dos livros. Pelo menos os crentes que eu mais ou menos conhecia eram assim. Sempre via Rosana indo embora do trabalho com sua Bíblia na mão. Eu gostava de imaginar aquelas histórias da época de Jesus como se fossem reais. Mesmo na escola, ninguém nunca falava da Bíblia assim. Aquilo era coisa de fé e pronto. Ou se acreditava ou não. E era um dever acreditar. Mas criança não é assim. Eu tinha dúvidas infantis e nem nessas era possível tocar. Só que as dúvidas vinham da crença nas tramas dos apóstolos de Jesus Cristo andando por aquele mundo distante.

Quando retomei meu interesse por religião, já com as minhas crianças nascidas e aquele tempo que eu tinha dentro de casa, os livros que encontrava estavam na prateleira de esoterismos, com textos que ou afirmavam ou duvidavam da existência histórica de Jesus. E era a um dos discípulos desse pastor de Nazaré que o padre se referira. Da mesma maneira como se fala de um missionário mórmon que bate à sua porta para dar notícias de Deus. Ele não estava contando de São Paulo. Ele estava contando de Paulo. Por que, depois de tanta coisa nessa vida, as palavras de um padre me encantam? Será ele ou serei eu? Ele falava sobre ser tocado pela palavra de Deus e do dom de ser portador dessa palavra. Da legião que se encantava pelo que Paulo anunciava e que o mesmo pode ter acontecido com Lucas. E vem acontecendo desde então. O padre recitava algumas passagens que parecem estar sendo ditas pela primeira vez para mim. O medo que me veio junto dessa sensação era aterrador. O medo de uma verdade que se aproxima, deixando muita coisa de fora. Botando muita coisa para fora. Talvez fosse um medo de ser feliz.

Antes da descoberta do amor por Nossa Senhora, meu preferido sempre fora João, o Evangelista. Ainda menina, confundia ele com João Batista, de quem gostava só por ser o padrinho de Jesus — coisa que aprendi nas aulas para a primeira comunhão com a minha professora de catecismo. Achava que o João que escrevera o testamento era o Batista. Na minha cabeça ecoava uma frase que o padre Emanuel dissera: "Poucas vezes nos perguntamos realmente sobre quem são essas vozes que nos falam no Novo Testamento. Quem era Marcos Evangelista? Quem era Matheus?". Resolvi reler o Evangelho de João para responder à pergunta do padre. Depois de nossas idas à missa, minha mãe me presenteara com uma Bíblia e um crucifixo grande que ela disse ser uma relíquia de família que ficaria aos meus cuidados a partir dali. Abrindo o livro, a primeira coisa que encontrei foi uma foto bem antiga de minha bisavó, posando numa janela ao lado de algumas crianças com brinquedos. Possivelmente, uma foto em dia de aniversário. Uma dedicatória com letra bem cuidada e assinada com iniciais comemorava a passagem de seus trinta anos. Procurei pelo crucifixo na sala que aparecia no fundo desfocado da fotografia, mas ele não estava lá.

Essa leitura do quarto evangelho é a primeira em muito anos. A Bíblia é um livro poderoso. E eu via João mais próximo. Um amigo bom de papo que, sentado numa roda ou numa mesa, entretém a todos com seu jeito de contar histórias um tanto mirabolantes, confraternizando e celebrando o prazer da amizade através da palavra. O mais engraçado é que, nessa releitura, o João da Bíblia ficou parecido com Érico. A leitura me trouxe à lembrança um trabalho de escola, quando estudava Império Romano e, por incentivo de um professor, o meu grupo acabou fazendo um seminário sobre a vida dos cristãos no século I. Eu era sempre escolhida para ser a redatora desses trabalhos de grupo, aquela que organizava as ideias de todos e botava no papel. Essa era uma das minhas poucas habilidades que era reconhecida por todos que me cercaram dentro da sala de aula. Professores, colegas e até por mim mesma. O interesse em fazer o trabalho era o mínimo possível e, como esse era um código entre adolescentes, eu não podia me declarar mais interessada naquilo do que nas tantas outras coisas mais importantes que tínhamos na vida. Mas o professor percebeu que eu queria um bocado a mais de informação e fez chegar na minha mão um livro que falava sobre uma fonte comum para os evangelhos. E indicava que Jesus Cristo fora casado com Maria Madalena. Pois aquilo ficou estacionado em um canto da minha mente até o dia em que li *O código Da Vinci*, que falava dessas mesmas questões anos depois do meu interesse inicial e que gerou em mim a compulsão por esse tipo de leitura, que encontrava nas prateleiras de mais vendidos, de autoajuda e de religião. Mesmo ali, lendo livros que faziam uma salada mista juntando cristãos, rei Arthur, templários e maçonaria, ainda não tinha amarrado as pontas do circuito que depois da meditação na igreja começou a se abrir para mim. Só então compreendi que a Bíblia já é, em si, uma congregação. Uma costura tecida por muitas mãos. Cada ponto alinhavado naquele texto é fruto de uma comunhão prévia entre fiéis e oradores que juntos anunciam a chegada da boa nova. Entendi também que esses retornos são as páginas perdidas do meu evangelho.

Deve ter sido esse o momento em que tirei uma tangente do meu próprio destino. E se estivesse realmente dirigindo direitinho, o veículo sairia bem da curva. Acelerando.

A Dois Irmãos estava no fim de semana do feirão de carros novos e usados — nossos automóveis expostos num enorme estacionamento do supermercado que ficava na rua dos fundos da concessionária, alugado para o evento naquele domingo. Estava tudo muito bonito e todos vestidos para matar. Era a grande chance de dar um belo incremento nas comissões. Nossa correria para fazer tudo a contento tinha sido grande, mas a dos possíveis clientes e curiosos era maior ainda. Uma gritaria digna da antiga Feira do Rolo, que existira perto da mais antiga ainda Feira de Água de Meninos. São Joaquim, o nome que Água de Meninos ganhou depois do incêndio, não é para o meu gosto. Feira por feira, prefiro a Ceasa, que tem tudo, é mais limpa e mais perto de casa.

Antes do início, Santiago avisou: "O povo todo diz que está sem dinheiro, mas nessa hora cai de boca na prestação do banco da concessionária". Não pareço especialmente disposta a cumprir meu papel de mestre de cerimônias, e ele pergunta se estou com algum problema. Para encurtar a conversa, comento que tenho ido à igreja. Ele fica animado e fala muito sobre Deus, mas a minha busca é diferente daquilo que ele conta. Seu Deus me parece bondoso demais e o que eu procuro deve ser misericordioso. A página de Santiago na rede social é repleta de mensagens e slogans que falam de desenvolvimento pessoal, superação e bondade, com imagens do Espírito Santo, de anjos e coisas fofinhas em baixo-relevo e tom amarelo ovo ou azul-celeste. Prefiro as falas do padre. Santiago era um colega de escola da mesma época dos ex-colegas do grupo de bate-papo na internet. Tocava violão e participava da Escalada de jovens católicos. Uma vez fomos os dois na saída da aula ao Instituto Médico Legal Nina Rodrigues para ver as cabeças de Lampião e Maria Bonita que ficavam expostas ao público numa sala improvisada em museu. Adorei o programa e Santiago perdeu ali a única chance que teve de transar comigo. Nunca namoramos, ele sempre foi feio, mas a ida ao IML, se não terminou na cama, acabou firmando uma amizade. Só nos reencontramos graças a Érico, que comprou um carro na mão de Santiago e, com seu jeito de fazer novos amigos, acabou se aproximando dele. Jogando conversa fora, descobriram que Santiago e eu tínhamos sido colegas no Nobel. A amizade entre os dois engrenou mais do que o nosso próprio reencontro. Santiago continuava muito católico, casado com a primeira namorada — que eu não conhecia — e promovendo a Escalada que antigamente frequentava. Passados uns meses, num encontro casual em um aeroporto, Érico comentou com Santiago que eu estava temporariamente sem trabalho e assim ajeitou com ele a vaga na concessionária.

Voltei para casa frustrada, sem cumprir a meta que prometi a Santiago e a mim mesma. Érico havia me pedido para ir à reunião de condôminos em sua ausência. Ele era subsíndico da nossa torre e membro do conselho fiscal do conjunto todo e "não queria ficar sem saber do que nego estava planejando fazer". O condomínio já tinha facções e torcidas, e cada reunião era uma batalha que se reproduzia depois nos encontros de cada uma das torres. Fui à reunião, que tinha na pauta o uso das áreas comuns para cultos religiosos. Era um tema que normalmente me daria sono, mas caiu como uma luva nessa fase exegeta em que me encontrava. Pude sentir por onde ia a tolerância e a intolerância religiosa dos meus vizinhos. Enquanto ouvia a conversa barulhenta naquele espaço do playground da Pacífico — usado como sala de cinema e sala de reuniões —, a voz que sobressaía era mais como uma chuva de palavras que se derramava em mim. Ela não era exatamente vocalizável, mas me transmitia com clareza a ideia de que eu tinha o dom de explicar a eles o que era a religião e qual o caminho a seguir. Independentemente das discordâncias, todos que se reuniam em torno do nosso condomínio deveriam me ouvir. Eu era capaz de guiar suas leituras. De cobrir cada um com o manto que lhe coubesse. Eu tinha uma mensagem para passar àquela comunidade. Eu diria a eles que antes não sabia se acreditava no Cristo, mas ali eu soube. Eu acredito. Deus é testemunha!

Isso era o que eu teria que conversar com Érico no dia em que ele sumiu. Não sei por que ele foi embora. Acho que não importa mais. Se agora consigo falar de tudo é porque, enfim, considero que me reconciliei e posso tratar desse assunto como quem fala de outros amores, uma outra pessoa. Fazia tempo que nem sonhava com ele. Acho que os sonhos me ajudaram muito a curar as feridas. Sentia que o papel dele nos meus sonhos ia ficando menos importante, o que diminuía o peso de tudo. Minha irmã me ajudou a ver isso. Tenho para mim que são muitas as mensagens que vamos deixando para os amantes do futuro ao longo de nossa história. Uma mãe não abandona seus filhos, mas deve deixar que eles também exerçam a capacidade de descobrir a matéria da vida. Eu acredito que o destino é uma coisa elástica. Vamos ao acaso, rodando em torno dele como duas estrelas que se atraem. E, a cada volta, deixando de ser e tornando a ser nós mesmos. Eternas crianças. Irmãos do universo. Foi assim comigo. Acredito que tenha sido assim com Érico também.

Hoje em dia, graças aos avisos de Cristiane, faço um caruru todo ano e sou muito devota de Cosme e Damião.

Agradecimentos

Um agradecimento especial a Helen Beltrame-Linné e Kalaf Epalanga pela paciência, colaboração criativa e dedicação em tantos momentos deste livro.

Agradeço também aos que foram os primeiros leitores deste livro e o receberam com carinho de amigo: Jerry Burgos, Hermano Vianna, Sergio Mekler, Luiz Ruffato, Pedro Süssekind, George Moura, Alberto Mussa, José Luiz Villamarim, Zoy Anastassakis, Luisa Buarque, Luiz Estellita Lins, Eliane Giardini, Patrícia Pillar, João Miguel e Moreno Veloso.

Agradecimentos em todos os cantos da vida para Mariana Betti.

© Quito Ribeiro, 2022

Todos os direitos desta edição reservados à Todavia.

Grafia atualizada segundo o Acordo Ortográfico da Língua Portuguesa de 1990, que entrou em vigor no Brasil em 2009.

capa
Oga Mendonça
preparação
Julia de Souza
revisão
Tomoe Moroizumi
Ana Alvares

Dados Internacionais de Catalogação na Publicação (CIP)

Ribeiro, Quito (1971-)
No canto dos ladinos / Quito Ribeiro. — 1. ed. — São Paulo : Todavia, 2022.

ISBN 978-65-5692-324-6

1. Literatura brasileira. 2. Romance. 3. Ficção contemporânea. I. Título.

CDD B869.3

Índice para catálogo sistemático:
1. Literatura brasileira : Romance B869.3

Bruna Heller — Bibliotecária — CRB 10/2348

todavia
Rua Luís Anhaia, 44
05433.020 São Paulo SP
T. 55 11. 3094 0500
www.todavialivros.com.br

fonte
Register*
papel
Munken print cream
80 g/m²
impressão
Geográfica